AKADEMIE DEUTSCH B2⁺

Zusatzmaterial mit Audios online
Band 4
Deutsch als Fremdsprache

Autorenteam:
Sabrina Schmohl
Britta Schenk
Jana Glaser
Michaela Wirtz
Anette Wempe-Birk
Michael Stetter
Christina Kirschbaum
Sara Morrhad
Thorsten Heinz
Carolin Renn
Helmut Sosnitza

Fachliche Beratung:
Sprachenakademie Aachen

Hueber Verlag

Audios zum Zusatzmaterial

Sprecher: Sandra Bleiner, Julia Deistler, Coralie Heilmann, Thorsten Heinz, Keren Hou, Christina Kirschbaum, Sara Morrhad, Ingrid Schäfermeier, Kevin Sodekamp, Helmut Sosnitza, Michael Stetter

Produktion: Tonstudio 42 signals GmbH, Aachen

3. 2. 1. | Die letzten Ziffern
2025 24 23 22 21 | bezeichnen Zahl und Jahr des Druckes.
Alle Drucke dieser Auflage können, da unverändert, nebeneinander benutzt werden.
1. Auflage
© 2021 Hueber Verlag GmbH & Co. KG, München, Deutschland
Design: ka:en (Tina Nordhausen), Aachen; Daniela Vrbanovic, D.A.N.dock, Aachen
Umschlaggestaltung: Daniela Vrbanovic, D.A.N.dock, Aachen;
Sieveking · Agentur für Kommunikation, München
Layout und Satz: Patryk Szafron, 42 signals GmbH, Aachen; Sieveking · Agentur für Kommunikation, München
Redaktion: Sabrina Schmohl, Britta Schenk, Sara Morrhad, alle 42 signals GmbH, Aachen
Druck und Bindung: Passavia Druckservice GmbH & Co. KG, Passau
Printed in Germany
ISBN 978-3-19-171650-9

Art. 530_27622_001_01

SEITE / KAPITEL

4		VORÜBUNGEN
10	28	GEFÜHLSWELTEN
24		VORÜBUNGEN
27	29	ZWISCHENMENSCHLICHES
42		VORÜBUNGEN
44	30	DIGITALE WELTEN
58		VORÜBUNGEN
61	31	UNSERE ERDE
74		VORÜBUNGEN
79	32	DAS GEWISSEN ISST MIT
94		VORÜBUNGEN
98	33	ARBEIT IST DAS HALBE LEBEN
110		VORÜBUNGEN
112	34	WELT DER WIRTSCHAFT
128		VORÜBUNGEN
132	35	ALLES EINE FRAGE DER TECHNIK
144		VORÜBUNGEN
147	36	EIN GROßER SCHRITT FÜR DIE MENSCHHEIT
162		GESAMTÜBUNGEN

▶ Audio	👥 Partnerarbeit	🔍 Internetrecherche
✏ Textproduktion	👥 Gruppenarbeit	✖ Achtung, Fehler!

Bei einem **Verweis auf das Kursbuch** (KB) wie hier → KB 28, 4 (Kursbuch-Kapitel 28, Aufgabe 4) sollte die Aufgabe in Kombination mit der entsprechenden Kursbuch-Aufgabe bearbeitet werden. Wortschatz-Aufgaben mit Kursbuch-Verweisen können in der Regel sowohl zur Vorbereitung der entsprechenden Kursbuch-Aufgabe als auch zu ihrer Nachbereitung verwendet werden.

1   AKTIV UND PASSIV – RAUCHEN

a)   Ergänzen Sie die Passivsätze in der vorgegebenen Tempusform.

1   **Präsens:** Viele Krankheiten *werden* durch das Rauchen *verursacht* (verursachen).

2   **Präteritum:** Viele Krankheiten *wurden* durch das Rauchen *verursacht* (verursachen).

3   **Perfekt:** Viele Krankheiten *sind* durch das Rauchen *verursacht worden* (verursachen).

4   **Plusquamperfekt:** Viele Krankheiten *waren* durch das Rauchen *verursacht worden*, bevor man dessen Gefahr erkannte (verursachen).

5   **Präsens:** Viele Raucher *müssen* jedes Jahr von einem Arzt *behandelt werden* (behandeln müssen).

6   **Präteritum:** Viele Raucher *mussten* jedes Jahr von einem Arzt *behandelt werden* (behandeln müssen).

b)   Ergänzen Sie die Lücken in den Sätzen 1–9 und vervollständigen Sie die Regeln mit den vorgegebenen Wörtern.

durch   *man*   Singular   *sollen*   Subjekt   subjektloses   Vollverb   *von*

	Aktiv	Passiv
1	Dr. Mayer **behandelte** *den* Patienten wegen Herzproblemen.	*Der* Patient **wurde** wegen Herzproblemen von Dr. Mayer **behandelt**.
2	Dr. Mayer **behandelte** viele Patienten wegen Herzproblemen.	Viele Patienten **wurd*en*** wegen Herzproblemen von Dr. Mayer **behandelt**.

> •   Das Akkusativobjekt im Aktivsatz wird zum *Subjekt* im Passivsatz und bestimmt als solches die Verbform.

3	Dies*er* Arzt **behandelte** den Raucher.	Der Raucher **wurde** von dies*em* Arzt **behandelt**.
4	Man **behandelte** den Raucher.	Der Raucher **wurde behandelt**.
5	Das Rauchen **hat** seine Erkrankung **ausgelöst**.	Seine Erkrankung **ist** durch *das* Rauchen **ausgelöst worden**.

> •   Das Subjekt im Aktivsatz wird im Passivsatz mit einer Präposition angegeben (Täter):
>   *von* = meistens bei Personen
>   *durch* = meistens bei Dingen
> •   Unwichtige Subjekte, z. B. das Subjekt *man*, fallen weg.

6	Nikotinpflaster **h*elfen*** Rauchern beim Aufhören.	Durch Nikotinpflaster **wird** Rauchern beim Aufhören **geholfen**.
7	Man **diskutiert** viel über ein generelles Rauchverbot.	Über ein generelles Rauchverbot **wird** viel *diskutiert*.

> •   Wenn ein Verb kein Akkusativobjekt hat, hat der Passivsatz kein Subjekt (*subjektloses* Passiv). Das Verb steht dann immer im *Singular*.

8 Man m _uss_ Raucher vor Gesundheitsschäden warnen. | Raucher **müssen** vor Gesundheitsschäden **gewarnt** _werden_.

9 Man **will** die Anzahl an Rauchern **reduzieren**. | Die Anzahl an Rauchern **soll reduziert** _werden_.

- Beim Passiv mit Modalverben steht das _Vollverb_ im Infinitiv Passiv (= Partizip II + *werden*).
- Besonderheit: *wollen* (Aktiv) → _sollen_ (Passiv)

(is supposed to)

am supposed to
ich soll meine Arbere machen
ich sollte mein HA machen
should

c) Formen Sie die Aktivsätze in Passivsätze um.

1 Die Spanier brachten den Tabak (wie auch die Tomate oder die Kartoffel) nach Europa.

2 Bis ins 20. Jahrhundert nutzte man Zigaretten als Mittel zur Entspannung.

3 Außerdem verwendete man den Tabak als Heilpflanze.

4 Man wollte den Tabak zur Behandlung von Krankheiten nutzen.

5 Möglicherweise konnte der Tabakrauch manche Leiden lindern.

6 Das Rauchen verursacht aber Krebs und Herz-Kreislauf-Erkrankungen.

7 Daran zweifelt heutzutage kaum noch jemand.

8 Nachdem man den Zusammenhang zwischen Rauchen und Krebs erkannt hatte, ergriff man Maßnahmen gegen das Rauchen.

*für etw. werben = für etw. Werbung machen

9   Man darf kaum noch für Zigaretten werben*.

10   Man erhöhte zudem die Steuern auf Tabakwaren.

11   Ob man aber den Kampf gegen das Rauchen gewinnt, kann man zurzeit noch nicht sagen.

2   PASSIV MIT MODALVERB – KRANKENTRANSPORT

Bilden Sie aus den Aktivsätzen mit Modalverb Passivsätze und umgekehrt.

*die Operation, -en = die OP, -s

	Aktiv	Passiv
1	Die Ärzte wollen den Patienten operieren.	
2		Der Patient muss dazu in eine andere Klinik gebracht werden.
3	Für den Transport muss man einen Kranken-wagen einsetzen.	
4		Während der Fahrt muss der Patient für die Operation* vorbereitet werden.
5	Man könnte ihm auch etwas zu trinken anbieten, …	
6		…, doch vor einer OP darf nichts getrunken werden.
7	Flüssigkeiten darf man erst nach der OP wieder einnehmen.	

3   SUBJEKTLOSES PASSIV – UMWELTSCHUTZ

Formen Sie die Aktivsätze in Passivsätze um.

1   Viele Menschen diskutieren über den Umweltschutz.

Über den

2   Politiker und Experten streiten über die richtigen Problemlösungen.

Über

3 Manche Politiker zweifeln noch an der Klimaerwärmung.

Von manchen

4 Diesen Politikern glauben manche Leute.

Diesen

5 Viele Unternehmen schaden der Umwelt.

Durch

6 Und viele Firmen protestieren laut gegen strengere Umweltschutzgesetze.

Und von

7 Auch viele Landwirte klagen darüber.

Darüber

8 Doch auch die Bevölkerung kann für Umweltschutz sorgen.

Doch auch

9 Beim Kauf eines Autos kann man auf den Benzinverbrauch achten.

Beim Kauf

10 Am besten verzichtet man aber häufiger auf das Auto.

Am besten

11 Man will außerdem mit dem Bau neuer Windräder beginnen.

Außerdem

12 Darüber hat die Presse letzte Woche berichtet.

Darüber

4   TÄTER ODER NICHT?

Lesen Sie die Sätze und kreuzen Sie an, ob die unterstrichenen Personen aktiv sind bzw. aktiv etwas tun, also Täter sind, oder nicht.

		Person(en) = Täter	Person(en) ≠ Täter
In der WG kochen <u>wir</u> (1) immer zusammen.	1		
<u>Der Schüler</u> (2) antwortet <u>dem Lehrer</u> (3).	2		
	3		
<u>Er</u> (4) leidet an Heuschnupfen.	4		
<u>Meine Familie</u> (5) fehlt <u>mir</u> (6) hier in Deutschland.	5		✗
	6		✗
<u>Meine beste Freundin</u> (7) hat <u>mir</u> (8) zum Geburtstag gratuliert.	7		
	8		
Beim Umzug haben <u>ihm</u> (9) <u>seine Freunde</u> (10) geholfen.	9		
	10		
<u>Die Studierenden</u> (11) protestieren gegen Studiengebühren.	11		
<u>Der Schauspieler</u> (12) gefällt <u>ihr</u> (13).	12		
	13		
<u>Das Kind</u> (14) wird <u>von seiner Mutter</u> (15) gelobt.	14		
	15		

5   *ES*

Formen Sie die Sätze so um, dass das *es* an Position 1 wegfallen kann.

*Wenn sich das *es* auf einen später folgenden *dass*-Satz, Infinitivsatz oder eine indirekte Frage bezieht, nennt man es Korrelat-*es*.

1   Es* muss einmal gesagt werden, dass es so nicht weitergehen kann.

> *Dass es so nicht weitergehen kann, muss einmal gesagt werden.*

2   Es kann nicht sein, dass man hier nicht mit Kreditkarte bezahlen kann!

3   Es wandern jedes Jahr viele Menschen in den Alpen.

4   Es verunglückten die meisten Unfallopfer durch zu hohe Geschwindigkeit im Straßenverkehr.

5   Es wird immer behauptet, dass die Deutschen viel Bier trinken.

6   Es ist ungesund, zu viel Bier zu trinken.

7   Es werden in den sozialen Medien viele Fake News verbreitet.

8   Es ist umstritten, ob E-Zigaretten gesünder sind als Tabakwaren.

6   KANN *MAN* SO MACHEN!

Das Pronomen *man* wird dekliniert. Im Nominativ steht *man*, im Akkusativ *einen* und im Dativ *einem*. Ergänzen Sie die Lücken.

einem   einen   man

1   Ob es _____ gefällt oder nicht: Auf seine Gefühle kann _____ sich nicht immer verlassen.

2   Der Stress macht mich fertig! – Ja, das stimmt. Ständige berufliche Belastung kann _____ fertigmachen.

3   Was kann _____ tun, wenn _____ die Arbeit krankmacht?

4   Ein positives Feedback kann _____ im Job motivieren.

5   Wenn _____ zu oft lügt, glaubt _____ keiner mehr.

6   Mir wird schlecht! – Bei dem Anblick kann _____ auch schlecht werden.

7   Wie kann es _____ gelingen, dass _____ dauerhaft glücklich wird?

8   Falls _____ nichts mehr einfällt, sollte _____ eine kreative Pause machen.

1 GEFÜHLE

a) Ergänzen Sie die Artikel und ordnen Sie die Gefühle der passenden Beschreibung zu.

1 *das* Glück / *die* Freude

2 *die* Überraschung

3 *die* Traurigkeit / *der die* Trauer

4 *das die* Furcht / *die* Angst

5 *der* Ekel

6 *der* Ärger / *die* Wut

7 *die* Verachtung

8 *die* Scham

9 *die* Schuld

10 *die das* Interesse

11 *die* Scheu

12 *die* Verlegenheit *embarasement*

13 *die* Qual *agony*

A Abscheu, starke Abneigung

B man hält etw./jmdn. für minderwertig/schlecht

C das Gefühl, dass man etw. Peinliches oder Unmoralisches gemacht hat

D die Verwunderung über ein unerwartetes Ereignis

E ein intensives positives Gefühl

F Kummer

G Unsicherheit in unangenehmen/peinlichen Situationen

H Schüchternheit, Vorsicht, leichte Angst

I seelischer (oder körperlicher) Schmerz, den man kaum ertragen kann

J starkes Gefühl der Unzufriedenheit, negative Emotion nach unangenehmer Situation

K wird z. B. durch eine Bedrohung ausgelöst

L man fühlt sich verantwortlich für etw. Schlechtes

M Aufmerksamkeit

1	2	3	4	5	6	7	8	9	10	11	12	13
E	D	F	K A	K	J	B	C	L	M	H	G	I

b) Ergänzen Sie die Tabelle. Mehrere Lösungen sind möglich.

Nomen	verwandtes Verb	verwandtes Adjektiv
die Angst/Furcht	sich fürchten sich ängstigen	ängstlich
der Ärger	sich ärgern	ärgerlich, verärgert
der Ekel	sich ekeln	angeekelt ekelig, ekelhaft
das Glück/ die Freude	sich freuen	glücklich freudig
die Furcht	sich fürchten	furchtsam
das Glück	---	glücklich
die Scham	sich schämen	beschämt
die Schuld	---	schuldig
die Trauer	trauern	traurig
die Überraschung	überraschen	überrascht, überraschend
die Verachtung	verachten	verachtend
	---	wütend

2 WORTSCHATZ – ERINNERUNGEN

a) Wie fühlen Sie sich in folgenden Situationen? Sammeln Sie Wörter rund um Ihre Gefühle in der entsprechen- → KB 28, 2a)
den Situation. Welche Erfahrungen haben Sie mit diesen Situationen gemacht? Sprechen Sie mit Ihrem Partner.

Ankunft in einem fremden Land:

Besuche bei den Großeltern:

Einbruch in Ihre Wohnung:

b) Hören Sie den Hörtext „Erinnerungen" aus dem Kursbuch und bearbeiten Sie dort die Aufgaben. Lösen Sie im
Anschluss das Kreuzworträtsel.

(etw.) aufbrechen   (etw.) aushalten   (etw.) durchwühlen   (sich) einleben   (etw.) nachvollziehen   sentimental   verblassen
(etw.) verwüsten   (sich etw.) vorstellen   überfordert (sein)

1   etw. vor seinem geistigen Auge sehen
2   hier: langsam verschwinden, weniger werden
3   etw. mit den Händen durchsuchen
4   hier: etw. öffnen, indem man es kaputt macht
5   etw. verstehen

6   Chaos herstellen, etw. durcheinanderbringen
7   emotional
8   Gefühl, etw. nicht bewältigen zu können
9   sich langsam an eine neue Situation gewöhnen
10   etw. Unangenehmes ertragen

c) Sprechen Sie mit Ihrem Partner über Erinnerungen aus Ihrem Leben. Stellen Sie Fragen und antworten Sie.

1 Haben Sie sich in Ihrem Leben schon einmal überfordert gefühlt? Wann war das und warum?

2 Sind Sie schon einmal umgezogen? Wie lange hat es gedauert, bis Sie sich an dem neuen Wohnort gut eingelebt haben? Was hilft dabei, sich schnell einzuleben?

3 Können Sie es nachvollziehen, wenn manche Menschen behaupten, dass alle Deutschen kalt sind? Warum bzw. warum nicht?

4 Haben Sie schon einmal ein Abenteuer erlebt? Erzählen Sie davon.

5 Bei welcher Erinnerung werden Sie sentimental? Welche Gefühle schwingen bei dieser Erinnerung mit?

6 Welche Charaktereigenschaften können Sie bei anderen Menschen gar nicht aushalten? Kannten Sie einmal eine Person mit diesen Eigenschaften? Was ist passiert?

7 Wofür haben Sie als Kind einmal Ihren ganzen Mut zusammengenommen? Wie haben Sie sich gefühlt?

3 ADJEKTIVENDUNGEN – BELIEBTES COMPUTERSPIEL

a) Ergänzen Sie die Endungen. Manche Lücken bleiben leer (/).

(1) Zu d[   ] bekannt[   ] Online-Games zählen auch d[   ] soge-nannt[   ] Multiplayer-Rollenspiele. (2) Multiplayer bedeutet, dass man sich in dies[   ] Spielen mit viel[   ] ander[   ] Usern über das Internet zusammentut und ein Team bilden und gegeneinander antreten kann. (3) Dies[   ] Spiele funktionieren meist nach ein[   ] ähnlich[   ] Prinzip: (4) Jed[   ] Gamer wählt ein[   ] Charakter aus und muss mit sein[   ] Figur bestimmt[   ] Missionen oder Aufgaben erfüllen. (5) Teilweise bis zu 9 000 dies[   ] Aufgaben bieten dies[   ] sehr beliebt[   ] Spiele an. (6) Wenn man ein[   ] Mission erfolgreich[   ] beendet, erhält man Punkte oder ein[   ] ander[   ] Belohnung, beispielsweise in Form von virtuell[   ] Geld. (7) Für d[   ] Avatare dies[   ] Spiele gibt es unterschiedlich[   ] Möglichkeiten d[   ] Fortbewegung[   ]: (8) Sie gehen zu Fuß oder nutzen für ein[   ] schnell[   ] Fortbewegung Flugzeuge, Zeppeline oder ander[   ] schnell[   ] Fahrzeuge. (9) Wenn man ein[   ] höher[   ] Level[   ] erreicht, hat man häufig[   ] eine größere Auswahl an weiter[   ] Fortbewegungsmitteln. (10) In d[   ] Fantasiewelten dies[   ] Online-Game[   ] begegnet d[   ] Charakter d[   ] Spieler[   ] ander[   ] Charakteren, also Spielfiguren ander[   ] Teilnehmer. (11) Dann gibt es verschieden[   ] Arten d[   ] Interaktion[   ]: (12) Man kann zu[   ] Beispiel gegen ein[   ] feindlich[   ] Charakter kämpfen. (13) D[   ] einfach[   ] Kommunikation mit d[   ] ander[   ] Figur ist aber auch möglich[   ]. (14) Ebenso kann man in viel[   ] Spielen, ganz[   ] friedlich[   ] Handel treiben, also nützlich[   ] Dinge kaufen oder verkaufen. (15) Die Geschichte der weltweit[   ] erfolgreich[   ] Online-Rollenspiel[   ] ist noch jung[   ]: (16) Das wohl bekanntest[   ] Fantasy-Game dies[   ] Art erschien a[   ] 23. November 2004 in d[   ] USA, in Kanada, Australien und Neuseeland. (17) In Europa ist es seit d[   ] 11. November 2005 erhältlich[   ]. (18) A[   ] erst[   ] Tag d[   ] Europastart[   ] verkaufte d[   ] Entwickler[   ] 290 000 Exemplare d[   ] Online-Games. (19) Wissen Sie, welch[   ] Spiel wohl[   ] gemeint ist?

b) Formulieren Sie Nomengruppen mit Genitivattribut wie im Beispiel. Nutzen Sie einmal den bestimmten und einmal den unbestimmten Artikel bzw. Nullartikel.

1   Das beliebte Computerspiel hat eine junge Geschichte.

die junge Geschichte **des beliebten Computerspiels**

...   **eines beliebten Computerspiels**

2   Die große Spiele-Community hat viele Mitglieder.

viele Mitglieder

...

3   Die erfolgreichen Spieleentwickler haben interessante Biografien.

die interessanten Biografien

...

4   Der motivierte Spieler hat ein ehrgeiziges Ziel.

das ehrgeizige Ziel

...

5   Die ausgewählten Figuren haben Missionen.

die Missionen

...

4   FREUNDSCHAFT

a) Ergänzen Sie die Sätze mit den vorgegebenen Wörtern in der richtigen Form.

Angesicht zu Angesicht   der/die Bekannte   bewundern   die Chemie   eifersüchtig   jmdn. einengen   eng   der Freiraum   der Freundeskreis   intim   oberflächlich   die Privatsphäre   das Selbstwertgefühl   sich auf jmdn. verlassen   die Zuneigung

1   In einer   Beziehung spricht man nicht über persönliche Themen. In einer

solchen Beziehung kennt man die Persönlichkeit des anderen nicht sehr gut.

2   Die C   zwischen Jan und Alexandra stimmte von Anfang an. Die beiden sind sich sehr

ähnlich und verstehen sich ohne Worte.

3   Ein Videotelefonat im Internet ist nicht dasselbe wie ein Treffen von   .

4   Ich habe einen sehr großen   , doch nur zwei Personen aus diesem Kreis

sind wirklich   Freunde von mir. Der Rest besteht eigentlich nur aus guten

                        .

5   Wenn sich zwei Menschen sehr nahestehen und vertraut miteinander sind, spricht man von einer

                        Beziehung.

6   Wenn man jemanden gern hat, empfindet man   für diese Person.

7   Mira ist meine beste Freundin. Auf sie kann ich mich immer   . Wenn ich Hilfe

brauche, traurig bin oder jemanden zum Reden brauche: Sie ist immer für mich da.

8   Eine gesunde Beziehung braucht ⬚⬚⬚⬚⬚⬚⬚⬚ . Jeder muss Zeit und Raum haben, auch ohne

den anderen etwas zu tun.

9   ⬚⬚⬚⬚⬚⬚⬚⬚ Menschen neigen dazu, ihre Freunde und Partner ⬚⬚⬚⬚⬚⬚⬚⬚ ,

ihnen also zu wenig Freiräume zu geben und ihre ⬚⬚⬚⬚⬚⬚⬚⬚ nicht zu respektieren.

10   Helena ist mit sich selbst unzufrieden und nie so richtig glücklich. Wegen ihres schlechten

⬚⬚⬚⬚⬚⬚⬚⬚ fällt es ihr auch schwer, neue Freundschaften zu schließen.

11   Anton ist ein echtes Vorbild für mich. Er hat viel geleistet in seinem Leben. Ich ⬚⬚⬚⬚⬚⬚⬚⬚

ihn für seine gute Arbeit und sein politisches Engagement.

b)   Sprechen Sie mit Ihrem Partner über die folgenden Fragen.

1   Wie viele Freunde hat man im Leben?
2   Welche Dinge kennzeichnen eine echte Freundschaft?
3   Welche Eigenschaften sind Ihnen bei Ihren Freunden wichtig?

Glossar zum Hörtext

- die Soziologie = Wissenschaft, die sich mit der Erforschung des sozialen Verhaltens befasst
- die Abstufung , -en = Unterscheidung (stufenartig)
- die Billigfluggesellschaft, -en = Airline, die günstige Flugtickets anbietet
- schleichend = langsam (↔ abrupt/plötzlich)

- der Auslöser, - = etw., was etw. auslöst / hervorruft
- halbieren = sich um die Hälfte reduzieren
- Wege kreuzen sich = Menschen begegnen einander / treffen sich
- sporadisch = selten, ab und zu

---

c)   Hören Sie das Interview zum Thema Freundschaft und machen Sie Notizen auf ein leeres Blatt. Bringen Sie anschließend die Themen des Interviews in die richtige Reihenfolge. Es wurden nur sechs der vorgeschlagenen Themen angesprochen.

⬚	Freundschaft zwischen Frauen und Männern	⬚	Regeln für Freundschaft
⬚	Größe des Freundeskreises	⬚	Ende von Freundschaften
⬚	Voraussetzungen für Freundschaften	⬚	Kontakthäufigkeit
⬚	toxische Freundschaftsbeziehungen	⬚	Freundschaften im Alter
⬚	Unterschied zwischen Männer- und Frauenfreundschaften		

d)   Hören Sie das Interview noch einmal und ergänzen Sie.

Freundschaftsregeln

1   Verlässlichkeit: ⬚⬚⬚⬚⬚⬚⬚⬚ nicht weitererzählen

2   Rücken stärken: Freunde unterstützen uns in jeder ⬚⬚⬚⬚⬚⬚⬚⬚

3   ⬚⬚⬚⬚⬚⬚⬚⬚ akzeptieren und Freiräume ⬚⬚⬚⬚⬚⬚⬚⬚

4   keine Eifersucht auf ⬚⬚⬚⬚⬚⬚⬚⬚

5   ⬚⬚⬚⬚⬚⬚⬚⬚ Selbstwertgefühl vermitteln: Bewunderung

Unterschiede zwischen Männern und Frauen

Männerfreundschaften erscheinen zwar ⬚⬚⬚⬚⬚⬚⬚, sie ⬚⬚⬚⬚ aber meist ⬚⬚⬚⬚⬚.

Voraussetzungen für Freundschaft

- räumliche ⬚⬚⬚⬚⬚
- ⬚⬚⬚⬚⬚ Kontakt
- Chemie muss stimmen: Sympathie
- Gemeinsamkeiten, z. B. ⬚⬚⬚⬚⬚, ⬚⬚⬚⬚⬚⬚⬚, Herkunft, ähnliche ⬚⬚⬚⬚⬚

Faktoren, die zum Ende einer Freundschaft führen

- ⬚⬚⬚⬚⬚⬚⬚, z. B. Umzug, Wechsel von ⬚⬚⬚⬚⬚ oder ⬚⬚⬚⬚⬚, etc.
- ⬚⬚⬚⬚⬚⬚
- Familiengründung

e) Schreiben Sie einen Text über Freundschaft. Beschreiben Sie, welche Regeln es für Freundschaften in Ihrem Umfeld gibt.

5 FORMELLER BRIEF

a) Überlegen Sie mit Ihrem Partner, wie man einen formellen Brief verfasst, zum Beispiel, wenn man einen Vertrag kündigen möchte. Beschriften Sie dazu die folgende Skizze.

der Absender   die Anrede   der Betreff   das Datum   der Empfänger   die Grußformel   die Unterschrift

b) Sammeln Sie im Kurs Antworten auf die folgenden Fragen. Machen Sie Notizen, also Stichworte.

- Wie lautet eine korrekte Anrede in einem formellen Brief?

- Welche Grußformeln passen in einen formellen Brief?

- Welche Informationen zu Absender bzw. Empfänger nennt man?

- Welche Form hat das Datum?

- Was steht im Betreff?

- Wie ist die Sprache in einem formellen Brief?

- Was muss ich bei einer Kündigung bedenken?

 c) Lesen Sie das Kündigungsschreiben. Es enthält einige inhaltliche und formale Fehler. Markieren Sie die Fehler und vergleichen Sie mit Ihrem Partner. Begründen Sie Ihre Markierungen.

> Peter Landwirth   24.06.2020
> 0187/34578900
>
> Fitness Second
>
>
> Liebes Fitness Second,
> Ich habe einen Vertrag mit Ihrem Fitnessstudio. Ich habe auch immer gern bei Ihnen trainiert. Ich mag die Fitnesstrainer bei Ihnen. Aber jetzt muss ich umziehen, schade! :(Ich muss deshalb meinen Vertrag bei Ihnen kündigen.
>
> Tschüss! Liebe Grüße
> Peter Landwirth

 d) Sie haben vor eineinhalb Jahren einen Handyvertrag abgeschlossen. Die Vertragslaufzeit endet nach 2 Jahren. Die Kündigungsfrist beträgt 3 Monate. Sie möchten den Vertrag schnellstmöglich kündigen. Verfassen Sie dazu einen formellen Brief und behandeln Sie darin die folgenden Punkte:

- Schreiben Sie, dass Sie den Vertrag kündigen wollen und wann.
- Nennen Sie den Grund für die Kündigung.
- Bitten Sie darum, dass Ihre Kündigung bestätigt wird. Schreiben Sie auch, in welcher Form (per Brief oder per E-Mail) Sie die Bestätigung wünschen.

Überlegen Sie sich vor dem Schreiben einen Betreff, eine Anrede, eine Einleitung und einen Schluss. Alternativ können Sie auch eine (formelle) E-Mail schreiben. Beachten Sie dabei dieselben Vorgaben wie für einen formellen Brief. Die Adresse des Empfängers, die Absenderadresse und das Datum entfallen.

Viele Verträge kann man per E-Mail, also ohne persönliche Unterschrift kündigen (z. B. Handyverträge). Das gilt jedoch nicht für z. B. Miet- und Arbeitsverträge!

6 KOLLEKTIVE EMOTIONEN

a) Schlagen Sie die Wortbedeutungen in Ihrem einsprachigen Wörterbuch nach.

1 kollektiv:

2 etw. bewirken:

3 die Intensität:

4 die Ansteckung, -en:

5 jmdn./etw. imitieren:

6 sich in jmdn. hineinversetzen:

7 etw. nacherleben:

8 etw. empfinden:

b) Ergänzen Sie passende Wörter aus a).

1 Es tut mir leid, dass du so schlimmen Liebeskummer hast! Ich   ähnlich wie du, ich wurde auch gerade von Thomas verlassen.

2 Oh, das tut mir auch leid! Aber es stimmt, in diese Situation kann sich wirklich fast jeder   .

3 Der Vortrag des Professors   Langeweile im Publikum.

4 Kleinkinder   im Spiel das Verhalten ihrer Eltern.

c) Lesen Sie den Text und kreuzen Sie an. Was entspricht der Kernaussage des Textes?

☐ Eine kollektive Emotion ist eine von mindestens zwei Menschen geteilte Emotion in einer Situation, die von den Beteiligten ungefähr gleich empfunden wird.

☐ Kollektive Emotionen sind Gefühle, die Mitglieder einer größeren Gruppe bei kollektiven Aktivitäten empfinden.

DIE KRAFT KOLLEKTIVER EMOTIONEN

Menschen haben **Gefühle**. Als Basisgefühle gelten Glück/Freude, Überraschung, Traurigkeit, Furcht/Angst, Ekel, Ärger/Wut, Verachtung, Scham, Schuld, Interesse/Erregung, Scheu, Verlegenheit und
5 Qual.

Gefühle werden erst zu **Emotionen**, wenn diese durch den Kontakt mit einer anderen Person aufkommen oder beeinflusst werden. Dabei spielt der Kontext immer eine Rolle. Wer alleine durch den Wald läuft, hat danach möglicherweise ein Gefühl der Freude, wer bei einem Abendessen Freude
10 durch die Anwesenheit[1] des Gegenübers[2] empfindet, eine freudige Emotion. Für eine Emotion sind danach mindestens zwei Personen notwendig, was wiederum nicht heißt, dass es sich um eine kollektive Emotion handelt.

Eine **kollektive Emotion** liegt erst dann vor, wenn die Art der Emotion gleich ist. Abendessen: Die eine ist gelangweilt, der andere fasziniert. Beides wurde durch den anderen bewirkt – es handelt sich also
15 um eine Emotion – aber sie ist keine kollektive. Um wahrhaft kollektiv zu sein, sollte nicht nur die Art der Emotion gleich oder verwandt, sondern deren Intensität zudem auch ungefähr gleich sein.

Kollektive Emotionen gehen selbstredend über die Zweierkonstellation hinaus: Teamemotionen, ge-

[1] die Anwesenheit, / = jmd. ist da
[2] das Gegenüber, / = hier: der Tischpartner

teilte Emotionen in einer Organisation oder innerhalb eines Staates bzw. einer Gruppe von beliebig
vielen Menschen, die eine oder mehrere Gemeinsamkeiten besitzen (z. B. die Jungen, die Religiösen,
20 die Städter).

Wie entstehen kollektive Emotionen?

Typischerweise entstehen Emotionen durch Begegnungen zwischen Menschen. Das Interessante ist
nun, wie die Emotionen zwischen mehreren Menschen verbreitet werden. Man spricht hier von einer
emotionalen Ansteckung („emotional contagion"), die weitergetragen wird. [...]

25 Die Körpersprache, die Gestik oder die Stimme einer Person, z. B. einer Rednerin, wird von Zuhörern
aufgenommen und imitiert, wobei dann deren Emotionen bei einem selbst gleichsam reproduziert
werden. Wenn der Redner lacht, lachen die Zuhörer usw. und sie empfinden wie der Redner Freude.
Ein anderer Weg der Übertragung ist, sich in die Gefühle einer Person hineinzuversetzen und diese
dann als Emotion nachzuerleben. Oder man versetzt sich in die Situation einer anderen Person hinein
30 und empfindet die gleiche Emotion wie die beobachtete Person in dieser Situation. Das funktioniert
nicht bei allen Menschen gleich und nicht gleich intensiv, aber es funktioniert, auch wenn sie für sich
vorab keine Entscheidung getroffen haben, diese Emotion der anderen Person nun auch erleben zu
wollen.

Gekürzte Version des Originaltextes „Die Kraft kollektiver Emotionen – Was sie sind und wie sie wirken" von Jürgen Weibler, erschienen

auf: https://www.leadership-insiders.de/die-kraft-kollektiver-emotionen-was-sie-sind-und-wie-sie-wirken/, abgerufen am 29.7.2019

d) Bearbeiten Sie die weiteren Aufgaben zum Text.

1   Richtig oder falsch? Kreuzen Sie an.

R	F	1	Liebe ist ein Basisgefühl.
R	F	2	Die Wörter *Gefühl* und *Emotion* sind synonym.
R	F	3	Zwei Personen, die gemeinsam eine Situation erleben, können eine kollektive Emotion teilen.
R	F	4	Auch Gruppen von Personen, die sich nicht kennen, können kollektive Emotionen teilen.
R	F	5	Emotionen können ansteckend sein.
R	F	6	Die Imitation seines Gegenübers ist eine Möglichkeit der emotionalen Ansteckung.
R	F	7	Nur wenige Menschen können die Gefühle anderer Menschen intensiv nachempfinden.
R	F	8	Nur, wenn man sich absichtlich in die Gefühle eines anderen hineinversetzt, kann man dessen Gefühle übernehmen.

2   Wie definiert der Text die folgenden Begriffe? Machen Sie Stichpunkte.

- Gefühl:

- Emotion:

- kollektive Emotion:

3   Wie funktioniert emotionale Ansteckung? Ergänzen Sie Stichworte.

Weg 1:

Weg 2:

· _____

· _____

e) Schreiben Sie einen kurzen Text über ein Beispiel für eine kollektive Emotion aus Ihrem Leben. Um welche Emotion handelt es sich? Mit wem haben Sie diese Emotion geteilt? Beschreiben Sie die Situation.

f) Vergleichen Sie die Definitionen von *Gefühl* und *Emotion* aus dem vorliegenden Text mit denen aus dem Kursbuchtext „Emotionen". Worin unterscheiden sich die beiden Texte? Sprechen Sie im Kurs.

→ KB 28, 4b)

7 PASSIVFÄHIGKEIT

Lassen sich die Aktivsätze ins Passiv umformen? Ja oder nein? Kreuzen Sie an und begründen Sie. Wenn möglich, formen Sie die Sätze anschließend in den Schreibzeilen unten um.

1 Paul kann gut Englisch. ja ☐ nein ✓

2 In Kolumbien tanzt man Salsa. ja ✓ nein ☐

3 Sabine ärgert sich über ihren neuen Kollegen. *reflexiv.* ja ☐ nein ✓

4 Ich fahre jeden Tag mit dem Bus zur Arbeit. ja ☐ nein ✓

5 Nordrhein-Westfalen (NRW) liegt im Westen von Deutschland. ja ☐ nein ✓

6 Die Pilotin fliegt die Maschine sicher über den Atlantik. ja ✓ nein ☐

7 Sie hat ihren Mann an der Uni kennengelernt. ja ☐ nein ☐

8 Die Zeitung kostet einen Euro. ja ☐ nein ✓

9 Bei einer Radarkontrolle blitzt eine Kamera die zu schnellen Autofahrer. ja ☐ nein ✓

10 Ich kenne meine Telefonnummer nicht. ja ☐ nein ✓

11 Nächste Woche bekommen die Kursteilnehmer ihre Zeugnisse. ja ☐ nein ✓

12 Die Pflanze ist über Nacht 5 cm gewachsen. ja ☐ nein ✓

13 Ich habe Hunger. ja ☐ nein ✓

14 Dieses Lied gefällt mir. ja ☐ nein ✓

In Kolumbien wird Salsa getanzt
Die Maschine wird von der Pilotin geflogen
Die zu schnellen Autofahrer werden von einer Kamera geblitzt

8 WORTSCHATZ – WAS DU HEUTE KANNST BESORGEN, …

→ KB 28, 7c)

Ergänzen Sie die Sätze mit den vorgegebenen Ausdrücken.

der Ablauf, / ~~jmdn. für etw. belohnen~~ der/die Betroffene, -n etw. bewältigen ehrgeizig ~~faul~~ die Frist, -en die Tätigkeit, -en der Teufelskreis, -e der Zeitdruck, /

1 Für erledigte Aufgaben sollte man sich mit Kleinigkeiten wie z. B. einem Eis *belohnen* .

2 Viele *Betroffenen* von Prokrastination fürchten, dass ihr soziales Umfeld sie als *faul* wahrnimmt.

3 Jeder kennt es, unangenehme *Tätigkeiten* wie beispielsweise das Aufräumen aufzuschieben.

4 Manche Aufgaben erscheinen einem so schwer, dass man sie kaum *bewältigen* kann.

5 Für Hausarbeiten gibt es Abgabetermine, die die Studierenden einhalten müssen. Nach ~~dem Ablauf~~ dieser *Frist* dürfen sie ihre Arbeit nicht mehr einreichen.

6 Je später der Studierende mit der Arbeit an seiner Hausarbeit beginnt, desto größer wird der *Zeitdruck* .

7 Besonders *ehrgeizige* Menschen leiden seltener unter Prokrastination, da sie konkrete Ziele vor Augen haben.

8 Prokrastinierer sind oft in einem *Teufelskreis* gefangen, den sie nur durchbrechen können, indem sie sich professionelle Hilfe suchen.

9 EMOTIONEN IN SCHULE UND STUDIUM

a) Sehen Sie sich die Bilder an und sprechen Sie in Gruppen von 3–5 Personen darüber.

b) Recherchieren Sie eines der folgenden Themen. Sprechen Sie dann gemeinsam in der Gruppe darüber. Welche Informationen haben Sie gefunden? Was haben Sie neu gelernt? Welche Daten und Fakten finden Sie besonders interessant?

- Prüfungsangst
- Leistungsdruck in Kindergarten und Schule
- Depressionen bei Studierenden
- Liebe an der Universität

- soziale Kontakte im Studium
- IQ (Intelligenzquotient) und EQ (Emotionale Intelligenz)

c) Schreiben Sie einen Text über ein Thema aus a). Beschreiben Sie das Thema und behandeln Sie zwei weitere Aspekte (z. B. Vor- und Nachteile, Lösungen, Bedeutung, Folgen).

10 WORTSCHATZ – STRESS

a) Ergänzen Sie die Artikel und ordnen Sie die Erklärungen den passenden Begriffen zu.

→ KB 28, 8

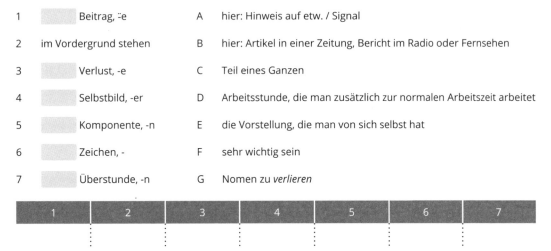

1	Beitrag, -̈e	A	hier: Hinweis auf etw. / Signal
2	im Vordergrund stehen	B	hier: Artikel in einer Zeitung, Bericht im Radio oder Fernsehen
3	Verlust, -e	C	Teil eines Ganzen
4	Selbstbild, -er	D	Arbeitsstunde, die man zusätzlich zur normalen Arbeitszeit arbeitet
5	Komponente, -n	E	die Vorstellung, die man von sich selbst hat
6	Zeichen, -	F	sehr wichtig sein
7	Überstunde, -n	G	Nomen zu *verlieren*

1	2	3	4	5	6	7

b) Ergänzen Sie die Sätze mit den vorgegebenen Ausdrücken. Achten Sie auf die richtige Form des Verbs bzw. Adjektivs!

belasten   klagen   kreisen   minimieren   potenziell

1 Ihre Prüfungsangst wurde immer größer, bis ihre Gedanken schließlich nur noch um den Tag der Prüfung

            .

2 Meine Mutter stand nach dem Tod ihres Mannes mit ihren fünf Kindern völlig allein da – doch trotz der

harten Zeit hörten wir Kinder sie nie   . Die Situation muss sie wahnsinnig

         haben, doch nie hat sie es uns spüren lassen.

3 Selbsthilfegruppen helfen Betroffenen, ihre Ängste zu   und einen Weg in die

Normalität zurückzufinden.

4   Stressquellen sind sowohl im privaten als auch im beruflichen Bereich zu finden.

c) Denken Sie, dass es heutzutage mehr Stress gibt als früher? Was kann man tun, um Stress in der heutigen Zeit zu reduzieren? Schreiben Sie einen Text.

11 ÜBER GEFÜHLE SPRECHEN

Wählen Sie ein Thema und berichten Sie Ihrem Partner kurz über Ihre Erfahrungen damit. Anschließend stellt Ihr Partner Fragen und Sie antworten. Tauschen Sie dann die Rollen.

Dinge, die Sie tun, ...
- wenn Ihnen langweilig ist (fernsehen, Computerspiele, ...)
- wenn Sie gestresst sind (Sport, Tee trinken, ...)
- wenn Sie traurig sind (telefonieren, Freunde treffen, ...)
- wenn Sie nervös sind (tief einatmen, joggen, ...)
- wenn Sie wütend sind (Sport, an die frische Luft gehen, ...)
- wenn Sie Angst haben (mit Freunden sprechen, Licht einschalten, ...)

12 RELATIVSÄTZE – AUSLANDSSEMESTER UPDATE!

Welche Lösung passt? Streichen Sie die falschen Lösungen durch.

Eine Übersicht zu den Relativsätzen finden Sie im digitalen Zusatzmaterial.

Von:	krissi.schmitt@p-mail.de
Betreff:	Auslandssemester Update! :)
An:	regina-pfeiffer@brief.de

→ Antworten → Weiterleiten ⊘ Löschen

Hallo Regina,

wie geht's dir? Ich bin hier im Auslandssemester in Sevilla und habe den ersten Monat, das / welcher / den (1) ja der schwerste sein soll, gut überstanden. Ich fühle mich hier richtig wohl.

Ich war schon an der Uni und habe meinen ersten Workshop erfolgreich absolviert: interkulturelles Training auf Spanisch! Ich konnte alle Informationen verstehen, deren / über die / die (2) der Dozent gegeben hat. Außerdem waren viele internationale Studierende dabei, dessen / deren / die (3) Spanischkenntnisse auch (noch) nicht so gut waren. Ich glaube, der Dozent hat sich Mühe gegeben, langsam zu sprechen. Wenn ich allerdings mit Spaniern außerhalb der Uni spreche, läuft die Kommunikation anders ab. Zum Beispiel lebt in unserem Wohnheim ein älterer Mann, den / dessen / der (4) hier Hausmeister ist. Er spricht einen Dialekt, welcher / den / worüber (5) ich leider nicht gut verstehe. Wenn er merkt, dass ich nichts verstehe, sagt er das Gleiche noch einmal, aber nur viel lauter. :)

In dem interkulturellen Training, von dem / das / über dem (6) ich schon erzählt habe, wurde mir auch nochmal einiges über meine eigene Kultur bewusst. Ich finde, das ist ein Thema, welches / die / dem (7) heutzutage immer wichtiger wird, denn mit der Globalisierung gibt es immer öfter Situationen, wann / in denen / auf deren (8) Leute zusammenkommen, dessen / ihre / deren (9) Kulturen ganz unterschiedlich sind. Vielleicht schreibe ich meine Seminararbeit darüber.

Wie du siehst, bin ich ganz euphorisch und bin jetzt schon sicher, dass das Semester in Sevilla die beste Entscheidung war, das / die / deren (10) ich treffen konnte. Ich hoffe, du besuchst mich bald!

Liebe Grüße

Krissi

13 EINSPRACHIGES WÖRTERBUCH

a) Ergänzen Sie in den folgenden Sätzen das Verb *beginnen* in der richtigen Form und ggf.* die fehlende Präposition (ein Wort pro Lücke). Nutzen Sie dazu auch die Informationen, die Ihnen Ihr einsprachiges Wörterbuch liefert.

*ggf. = gegebenenfalls = wenn vorhanden

1 Der Unterricht _____ normalerweise um 8:00 Uhr.

2 Aber heute Morgen _____ unsere Lehrerin den Unterricht nicht um 8:00 Uhr _____.

3 Wegen einer Verspätung _____ sie erst um 8:07 Uhr _____ dem Unterricht _____.

4 Es war das erste Mal, dass der Unterricht nicht pünktlich _____.

5 Sie _____ den Unterricht _____ der Besprechung der Hausaufgaben _____.

b) Bilden Sie Sätze mit dem Verb *fühlen*. Nutzen Sie dazu auch die Informationen, die Ihnen Ihr einsprachiges Wörterbuch liefert.

1 sich fühlen: heute / krank / sie / .

2 fühlen: als Erstes / der Arzt / des Patienten / den Puls / .

3 fühlen: die Frau / in ihrer Handtasche / nach / dem Schlüssel / .

4 sich fühlen, helfen: du / verpflichtet / , / deiner Mutter / beim Umzug / ?

c) Erklären Sie die Bedeutung der unterstrichenen Ausdrücke mit eigenen Worten. Nutzen Sie auch Ihr einsprachiges Wörterbuch.

1 Oh nein, ich bin geliefert!

2 Er trifft die andere Frau nicht mehr. Er hat es mir versprochen.

3 Morgen ist die Prüfung, aber ich habe riesige Angst zu versagen.

4 Wie geht es ihm seit der Trennung? – Er ist eigentlich ziemlich ausgeglichen.

5 Seit Wochen schweben sie im siebten Himmel.

6 Er leidet unter seinem Anderssein.

7 Der neue Kollege wurde noch in der Probezeit vom Chef abgesägt.

1   MODALVERBEN – *KÖNNEN, MÜSSEN, (NICHT) DÜRFEN, SOLLEN*

a)   Ergänzen Sie die Modalverben.

Möglichkeit		Ratschlag	*soll(t)en*

| Pflicht/Notwendigkeit | | Verbot | |

b)   Ergänzen Sie die passenden Modalverben aus a) in der richtigen Form.

Sehr geehrter Herr Schuster,

vielen Dank für Ihr Interesse an unserem Seminar. Gerne antworte ich auf Ihre Fragen. Sie fragen, ob das

Seminar auch bar bezahlt werden _____ (1). Natürlich ist das grundsätzlich möglich. Wenn ich Ihnen

aber einen Rat geben darf: Sie sollten eine solch große Summe besser nicht in bar mit sich führen. Daher wäre

es gut, wenn Sie doch lieber überweisen oder mit Kreditkarte zahlen _____ (2) (Konjunktiv II).

Zu Ihrer Frage, ob die Reservierung eines Hotelzimmers notwendig ist: Da das Seminar nicht während der

Urlaubssaison stattfindet, _____ (3) Sie nicht* unbedingt frühzeitig reservieren. Ich denke nicht, dass

das nötig ist; im September sind die Hotels kaum ausgebucht. Wenn Sie aber die staatliche Vergünstigung für

die Fortbildung und die Unterkunft vorher beantragen wollen, _____ (4) Sie natürlich die Belege für

die Kursgebühr und die Hotelreservierung einreichen.

Ihre Frage zum Datenschutz ist mir besonders wichtig. Aufgrund geltender Gesetze sind wir verpflichtet, Ihre

Daten vertraulich zu behandeln. Wir _____ (5) sie auf keinen Fall an andere Personen weiterleiten. Im

Gegenteil, wir _____ (6) alle Ihre Daten streng vertraulich behandeln.

Alle Informationen zum Ablauf des Seminars _____ (7) Sie auch auf unserer Homepage finden, d. h.

Sie _____ (8) uns nicht alle drei Tage eine E-Mail schicken. Das ist wirklich nicht notwendig. Um die

Kommunikation nicht allzu zeitintensiv zu gestalten, sollten Sie unser Online-Angebot nutzen.

Zu Ihrer letzten Frage bezüglich Ihres Hundes: Aufgrund von Hygienevorschriften sind Haustiere in den

Seminarräumen nicht erlaubt. Das heißt, Sie _____ (9) Ihren Hund leider nicht mitbringen. Da

_____ (10) Sie sich bitte um eine angemessene Versorgung durch Freunde oder Nachbarn kümmern.

Mit freundlichen Grüßen

Inka Reinartz

*nicht müssen ≠ must not

2   GENITIV

a)   Bilden Sie Attribute wie im Beispiel. Achten Sie auf ggf. vorgegebene Artikel.

1   der Besitzer / das neue Smartphone: Peter Frankenfels ist   *der Besitzer des neuen Smartphones* .

2   der Freund / meine kleine Schwester: _____
mag ich leider gar nicht.

3   das Schlafverhalten / Katzen*: _____ ist abhängig von der
Jahreszeit.

*Bei Nomen ohne Artikel oder Adjektiv-attribut: *von* + D (kein Genitivattribut möglich!)

4 die Heilung / kranke Menschen: ＿＿＿＿＿＿＿＿＿＿＿＿＿＿＿＿＿ ist ihr Beruf.

5 der Import / Kaffee: ＿＿＿＿＿＿＿＿＿＿＿＿＿＿ aus verschiedenen Ländern ist zollfrei.

6 das Konsumverhalten / Jugendliche: ＿＿＿＿＿＿＿＿＿＿＿＿＿＿＿＿＿＿＿＿＿ hat sich durch das Internet stark gewandelt.

7 die Augen / Fritz: ＿＿＿＿＿＿＿＿＿＿ sind blau.

b) Ergänzen Sie im folgenden Text die fehlenden Endungen. Machen Sie einen Strich (/), wenn es keine Endung gibt, und ergänzen Sie ein Apostroph, wo nötig.

Thomas ´ Einkauf

(1) Was es bei der Auswahl d＿ gemeinsam＿ WG-Essen＿ und d＿ Getränke＿ zu beachten gilt? (2) Die Beliebtheit von vegan＿ Produkt＿ nimmt immer mehr zu. (3) Besonders unter Studierenden steigt die Zahl d＿ Veganer＿ und Vegetarier＿ kontinuierlich. Das kann dazu führen, dass heutzutage manche WG vor einer schwierigen Entscheidung steht: Was kochen wir heute?

(4) Nehmen wir Thomas W., 22 Jahre, Student d＿ Soziologie＿. (5) Thomas＿ Aufgabe ist es heute, sich ums Abendessen sein＿ vierköpfig＿ Wohngemeinschaft zu kümmern. (6) Dazu gehört nicht nur das Zubereiten d＿ Essen＿, sondern auch der Einkauf von Lebensmittel＿; das ist das übliche Vorgehen d＿ vier Student＿. Das Problem: Zwei der Mitbewohner essen Fleisch, einer ist Vegetarier und der vierte ist Veganer. (7) Das führt bei der Auswahl von Speise＿ für das gemeinsame Abendessen häufiger zu Diskussionen. (8) Das Zubereiten manch* klassisch＿ Speise＿ wie Eintopf oder Lasagne erfordert eine genaue Absprache; ab und zu werden auch einfach zwei Varianten solcher beliebt＿ „Küchenklassiker＿" zubereitet: eine mit Fleisch, eine ohne. (9) Bernd, der Veganer, spielt allerdings keineswegs die Rolle d＿ ideologisch＿ Dogmatikers. (10) Er verzichtet aus einer Vielzahl von Gründ＿ auf tierische Produkte, jedoch weiß auch er, dass vegane Produkte nicht grundsätzlich besser sind. (11) Der Anbau von Pflanze＿ in Monokulturen ist natürlich ein womöglich ebenso schädlicher Eingriff d＿ Menschen in die Natur wie die Massentierhaltung. (12) Bernd＿ Einstellung zu dem Thema ist daher von gesunder Skepsis geprägt: (13) Die industrielle Produktion von sämtlich＿ Nahrungsmittel＿ sieht er kritisch. (14) Und da sind sich wiederum alle Bewohner d＿ WG＿ einig: (15) Beim Einkauf von Lebensmittel＿ stehen regional erzeugte Nahrungsmittel klein＿ und biologisch＿ arbeitend＿ Erzeuger＿ ganz oben auf der Liste.

(16) Zurück zu Thomas＿ Gang durch die Geschäfte. (17) Er steht vor einem sein＿ Lieblingsgeschäft＿: *Herr＿ Marx＿ Gemüseladen.* (18) Der Inhaber dies＿ Geschäft＿ verkauft regional und biologisch hergestelltes Obst und Gemüse. (19) Und mit manchen sein＿ Kund＿ führt er gerne mal ein politisches Gespräch. Jedoch immer mit einem Augenzwinkern. (20) Der Einkauf von frisch＿ Gemüse＿ mache ihm hier besonderen Spaß, sagt Thomas, man lerne hier mehr als im Soziologieseminar.

> *manch ohne Endung
> → Endung des folgenden Adjektivs wie nach Nullartikel

3   *LASSEN* ALS VOLL- UND HILFSVERB – VERWÖHNTAG

a)   Ordnen Sie den Sätzen eine der sechs Bedeutungen von *lassen* zu.

lassen als Vollverb	A	eine Sache nicht mehr tun
	B	jemandem eine Sache erlauben bzw. verbieten
	C	eine Sache nicht mitnehmen
lassen als Hilfsverb + Infinitiv	D	Auftrag
	E	Erlaubnis bzw. Verbot
	F	Verzicht auf Änderung, etwas bleibt unverändert

1   Ich habe gestern mein Auto reparieren lassen. (   )

2   Eigentlich sind Handyspiele schlecht für die Konzentration, aber der Vater lässt ihm sein Smartphone. (   )

3   Ich habe keine Lust mehr. Ich lasse meine Hausarbeit liegen und mache morgen weiter. (   )

4   Meine Mutter lässt mich nicht auf die Party gehen, das finde ich so gemein! (   )

5   Lasst ihr euch eine Pizza liefern? (   )

6   Der Lehrer lässt die Schüler heute 10 Minuten früher gehen. (   )

7   Ab wann lässt du endlich das Rauchen? (   )

8   Wo ist dein Hund? – Den habe ich heute zu Hause gelassen. (   )

b)   Schreiben Sie zu jeder Bedeutung (A–F) noch einen weiteren Beispielsatz.

c)   Ergänzen Sie die Lücken mit der passenden Form von *lassen* (+ Infinitiv). Ordnen Sie anschließend die passende Bedeutung (A–F) von *lassen* aus Aufgabe a) zu.

Verwöhntag

Torben K. hat Geburtstag. (1) Er _____ sich von seiner Frau einen Guten-Morgen-Kuss _____ (E) (geben) und dann _____ er sich von seinen beiden Töchtern Frühstück _____ (   ) und ans Bett _____ (   ) (machen, bringen). (2) Sein Hund kommt und kitzelt Torben mit der Zunge am Fuß, bis er laut lachen muss und ruft: „Bitte, Rex, _____ das (   )!" Lachend steht er auf.

Auf der Arbeit geht sein Freudentag weiter. (3) Seine Akten **hat** er heute zu Hause _____ (   ), aber sein Chef sagt nichts; er _____ (   ) ihm die Freude. (4) Torben _____ sich als Erstes von seiner Sekretärin einen Kaffee _____ (   ) (bringen) und anschließend _____ er seinen Mitarbeiter Zigaretten _____ (   ) (holen). (5) Eigentlich wollte er das Rauchen zwar _____ (   ), aber heute ist schließlich sein Geburtstag. (6) Nachdem er sich mittags eine große, leckere Pizza _____ _____ (   ) (bringen), _____ er am Nachmittag seine Sekretärin alle Termine _____ (   ) (absagen).

Am Abend kommt Torben gut gelaunt nach Hause. (7) Er _____ sich von seiner Frau _____ (   ) (massieren) und von seinen Töchtern ein leckeres Abendessen _____ (   ) (servieren). (8) Das Geschirr _____ er danach einfach auf dem Tisch _____ (   ) (stehen). Dann geht er ins Schlafzimmer und denkt: „Was für ein schöner Tag!" (9) Zufrieden schlägt er ein Buch auf und _____ sich in eine ferne Fantasiewelt _____ (   ) (davontragen). (10) Nur Rex, den _____ er heute nicht mehr in sein Bett _____ (   ) (kriechen).

1 APPOSITIONEN

Ergänzen Sie die Artikel und Endungen im richtigen Kasus. Manche Lücken bleiben leer (/).

1 Anton, m⬚⬚⬚⬚ Kollege⬚⬚⬚, ist für jeden Spaß zu haben.

2 Mit Anton, m⬚⬚⬚⬚ Kollege⬚⬚⬚, vergehen die Arbeitstage wie im Flug.

3 Ohne Anton, m⬚⬚⬚ Kollege⬚⬚⬚, ist es auf der Arbeit ziemlich langweilig.

4 Ich schätze meinen Nachbarn, e⬚⬚⬚⬚ älter⬚ Mann⬚⬚⬚, sehr.

5 Meinem Nachbarn, e⬚⬚⬚⬚ älter⬚ Mann⬚⬚⬚, ist völlig egal, was andere über ihn denken.

6 Über die Witze meines Nachbarn, e⬚⬚⬚⬚ älter⬚ Mann⬚⬚⬚, kann man einfach nur lachen!

2 EMOJIS

a) Ergänzen Sie die fehlenden Wörter im folgenden Informationstext. Es fehlt entweder genau die Hälfte der Buchstaben oder die Hälfte plus ein weiterer Buchstabe (St⬚⬚⬚ = z. B. *Stau* oder *Stern*).

Wussten Sie schon?

D⬚⬚ (1) Wort *Emoji* sta⬚⬚⬚⬚ (2) aus dem Japan⬚⬚⬚⬚⬚ (3): 絵 (e) für *Bild*
und 文字 (moji) für *Schriftzeichen*. Am häufigsten wer⬚⬚⬚ (4) fröhliche Emojis
ben⬚⬚⬚⬚⬚ (5), darunter ist d⬚⬚ (6) vor Lachen wein⬚⬚⬚⬚ (7) Emoji am
belieb⬚⬚⬚⬚⬚ (8). Es gibt inzwi⬚⬚⬚⬚⬚ (9) über 2 500 Emo⬚⬚⬚ (10) und
es kom⬚⬚⬚ (11) immer wieder ne⬚⬚ (12) hinzu. Darüber entsc⬚⬚⬚⬚⬚⬚ (13) eine gemeinnützige
Organi⬚⬚⬚⬚⬚⬚ (14), welche d⬚⬚ (15) digitale Kommunikation standar⬚⬚⬚⬚⬚ (16). Zu ihren Mitgliedern zählen auch Vertreter aller gro⬚⬚⬚ (17) Softwareunternehmen. Es gi⬚⬚ (18) klare Regeln b⬚⬚ (19)
der Auswahl ne⬚⬚⬚ (20) Symbolbilder, wie d⬚⬚ (21) Häufigkeit der Verwe⬚⬚⬚⬚⬚ (22) oder die
Ähnlichkeit z⬚ (23) einem bereits beste⬚⬚⬚⬚⬚ (24) Bildzeichen. Emoji-Fans welt⬚⬚⬚⬚ (25) können
Vorsc⬚⬚⬚⬚ (26) für neue Bildchen machen, die dann v⬚⬚ (27) der Organisation geprüft wer⬚⬚⬚ (28).

das beliebteste Emoji

b) Arbeiten Sie in Kleingruppen. Sprechen Sie über folgende Punkte:

- Benutzen Sie gern und oft Emojis? Was gefällt Ihnen dabei oder was stört Sie?
- Welches Emoji verwenden Sie am häufigsten?

Erarbeiten Sie dann gemeinsam ein neues Emoji. Denken Sie darüber nach, welches Emoji Sie oft vermissen. Zeichnen Sie es.

Jede Gruppe präsentiert ihren Vorschlag für ein neues Emoji und begründet ihn. Stimmen Sie anschließend im Kurs ab, welches neue Emoji Ihnen am besten gefällt.

c) Hören Sie das Gespräch zum ersten Mal und bearbeiten Sie die Aufgaben.

1 Kreuzen Sie an, welche Punkte angesprochen werden.

☐ Wortherkunft von Emojis	☐ wissenschaftliche Arbeit von Studenten
☐ Funktion von Emojis	☐ missverständliche Bildzeichen
☐ technische Entwicklung von Emojis	☐ kreative Verwendung von Emojis
☐ Digital Natives	☐ Erweiterung der Emoji-Auswahl

2 Ordnen Sie den Gesprächsteilnehmern (1–3) jeweils alle passenden Informationen (A–F) zu.

1	Moderator	A	beim Radiosender
2	Herr Pfister	B	Praktikantin
3	Vanessa Fritz	C	Professor
		D	Kommunikationswissenschaftler
		E	Studentin
		F	an der Universität

1	2	3
⋮	⋮	

d) Bereiten Sie das zweite Hören vor, indem Sie zunächst die folgenden Aufgaben bearbeiten.

1 Bei Aufgaben zu Hörtexten wird oft mit Synonymen oder Umformungen gearbeitet. Finden Sie Synonyme, Umschreibungen oder verwandte Wörter für die kursiv gedruckten Wörter. Arbeiten Sie mit dem Wörterbuch.

1 Emojis *ermöglichen* es, in Texten Gefühle *mitzuteilen*.

Emojis machen es möglich, in Texten Gefühle zu transportieren.

2 Mit Emojis kann eine emotionale *Entfernung* zwischen zwei Personen verringert werden.

3 Emojis sind ein *Ersatz für die Körpersprache* in einem Gespräch *von Angesicht zu Angesicht*.

4 *Jüngere Menschen* haben einen anderen Bezug zu Emojis als ältere.

5 Manche Emojis können unterschiedlich *verstanden* werden.

6 Ich *bin nicht sicher*, ob man *auf längere Sicht* jede *diskriminierte* Gruppe mit Emojis darstellen kann.

7   Emojis bieten auch die *Möglichkeit*, Sprache und Bilder *fantasievoll* zu *verbinden*.

8   Emojis haben nicht immer nur einen *kommunikativen Zweck*, sondern oft auch einen *kreativen*.

2   Vermuten Sie (bzw. erinnern Sie sich), welche Person aus dem Gespräch welche Aussage (1–8) gesagt haben könnte.

3   Lesen Sie die Aufgabe e) und markieren Sie in den Aussagen die Schlüsselwörter. Vergleichen Sie anschließend im Kurs, welche Wörter wichtig sind.

e)   Hören Sie das Gespräch nun ein zweites Mal. Kreuzen Sie an, wer welche Aussage trifft.

	Moderator	Herr Prof. Pfister	Vanessa Fritz
1 Emojis ermöglichen es, in Texten Gefühle mitzuteilen.			
2 Mit Emojis kann eine emotionale Entfernung zwischen zwei Personen verringert werden.			
3 Emojis sind ein Ersatz für die Körpersprache in einem Gespräch von Angesicht zu Angesicht.			
4 Jüngere Menschen haben einen anderen Bezug zu Emojis als ältere.			
5 Manche Emojis können unterschiedlich verstanden werden.			
6 Ich bin nicht sicher, ob man auf längere Sicht jede diskriminierte Gruppe mit Emojis darstellen kann.			
7 Emojis bieten auch die Möglichkeit, Sprache und Bilder fantasievoll zu verbinden.			
8 Emojis haben nicht immer nur einen kommunikativen Zweck, sondern oft auch einen kreativen.			

f)   Welche Synonyme, Umschreibungen und verwandte Wörter wurden für die kursiv gedruckten Ausdrücke in Aufgabe d) benutzt? Vergleichen Sie ggf. mit der Transkription des Hörtexts.

3 MEIN TAG IN EMOJIS

 a) Sprechen Sie in einer Kleingruppe über die folgenden Emojis. In welcher Situation benutzen Sie diese Bildzeichen und welche verschiedenen Bedeutungen können sie Ihrer Meinung nach haben? Vergleichen Sie anschließend im Kurs.

b) Ordnen Sie den Emojis aus a) je eine Erklärung (A–H) zu.

1 gefaltete Hände
2 grinsendes Gesicht
   mit Schweißtropfen
3 erhobene Hände
4 verrücktes Gesicht
5 überkreuzte Arme
6 mit den Armen
   geformtes *O*
7 geballte Faust
8 schläfriges Gesicht
   mit Tropfen

A Das Emoji hat mit vier Bedeutungen am meisten Spielraum. Es wird benutzt, um ein *High Five* (Abklatschen mit den Handinnenflächen) zu zeigen, oder ist ein Symbol für das Beten. Außerdem kann es auch ein Zeichen für starke Hoffnung sein. Im japanischen Kulturraum wird mit diesem Bildzeichen *bitte* oder *danke* ausgedrückt.

B Emoji ist todmüde und würde jetzt am liebsten schlafen. Die Blase, die aus der Nase kommt, ist ein typisches Manga-Zeichen für einen schlafenden Charakter. Oder als Ausdruck, dass eine Unterhaltung oder eine Exkursion extrem langweilig und einschläfernd ist.

C Das Emoji passt zu dem Gefühl, das man hat, wenn man einen Erfolg oder eine Party feiert.

D Das Emoji kann zwei fast gegensätzliche Bedeutungen haben. Es zeigt entweder einen freundschaftlichen Faustgruß oder ist ein Symbol für das Schlagen einer Person.

E Das Emoji soll ein „Nein, auf gar keinen Fall!" darstellen. Manche nehmen es aber auch als Symbol für Karate oder Selbstverteidigung.

F Das Emoji soll glückliche Erschöpfung z. B. nach dem Sport darstellen. Es wird auch benutzt, um einen Ausruf wie „Puh, gerade noch mal gut gegangen!" auszudrücken.

G Das Emoji vermittelt ein Gefühl von Spaß und Aufregung. Es kann aber auch einen Scherz verdeutlichen oder mitteilen, dass man gerade „total verrückt drauf ist".

H Das Emoji soll *OK* darstellen. Aber es wird auch benutzt, um Bestürzen oder den Ausruf „Oh nein!" oder „Oje!" auszudrücken, bei dem man die Hände über dem Kopf zusammenschlägt.

1	2	3	4	5	6	7	8
A	F	A	G	E	H	D	B

c) Ein Bekannter postet eine Woche lang täglich seinen Tag in Emojis. Schreiben Sie einen Text darüber, was Ihr Bekannter am Sonntag gemacht hat.

Sonntag:

d) Arbeiten Sie zu zweit. Schicken Sie Ihrem Partner via Smartphone eine Nachricht, in der Sie einen Tag der letzten Woche nur in Emojis beschreiben. Ihr Partner versucht, den Tag nachzuerzählen. Hat er alles richtig verstanden? Korrigieren Sie, wenn nötig.

4 PASSIVERSATZ

a) Formulieren Sie so viele alternative Sätze wie möglich, ohne die Bedeutung zu ändern.

1 Die Kopie kann nur schwer gelesen werden. (Passiv + Modalverb)

(*sein* + *zu*-Infinitiv)

(*sich lassen* + Infinitiv)

(Adjektiv + Suffix)

(Aktiv + Modalverb)

2 Das Hundekissen ist waschbar.

3 Die Fenster müssen nachts geschlossen werden.

4 Ich hatte vergessen, dass mein Chef am Montag nicht zu erreichen war.

5 Im Museum ist nicht zu fotografieren.

6   Man kann hoffen, dass die Entwicklung noch aufhaltbar ist.

7   Auslandsreisen sind gut vorzubereiten.

8   Die Häuser in diesem Stadtviertel kann man einfach nicht bezahlen!

b)   Formulieren Sie die Sätze mit Passiversatz ins Passiv mit Modalverb um und umgekehrt. Es gibt mehrere Möglichkeiten.

1   Flug- oder Bahntickets lassen sich oft Monate im Voraus buchen.

2   Flugdaten sind auf der Homepage der Airline abrufbar.

3   Handgepäck von einer Größe bis zu 56 x 45 x 25 cm kann kostenlos mitgenommen werden.

4   Die Bordkarte ist vor dem Flug auszudrucken.

5   Gesetze zur Einreise sind unbedingt zu beachten.

6   Zollfreie Waren brauchen bei der Einreise nicht deklariert zu werden.

7   Für den Transfer zum Hotel lassen sich Shuttlebusse nutzen.

8   Die Tickets sind per Kreditkarte zahlbar.

9   Die Tür ist nicht abzuschließen, denn das ist ein Fluchtweg.

5   ADJEKTIVE MIT SUFFIX

a)   Ordnen Sie den Wortstämmen (1–11) ein passendes Suffix (A–D) zu. Sie können die Suffixe mehrfach verwenden. Benutzen Sie Ihr Wörterbuch, wenn nötig.

1	les-	5	irrevers-	9	unvergess-
2	indiskut-	6	unheil-	10	irrepar-
3	unerträg-	7	inakzept-	11	trenn-
4	unleser-	8	realisier-		

A	-ibel
B	-bar
C	-abel
D	-lich

1	2	3	4	5	6	7	8	9	10	11

b)   Welche Adjektive aus a) passen in den Text? Ergänzen Sie sie in der richtigen Form. Manchmal sind mehrere Lösungen möglich.

Wie im Internet zum Thema Klimawandel argumentiert wird

Ein Kommentar

Im Internet gibt es natürlich sehr viele gute L_____ (1) Beiträge zum Klimawandel. Diejenigen, die vor den _____ (2) Schäden der globalen Erwärmung warnen, sind dabei in der Mehrheit. Sie überlegen, welche Gegenmaßnahmen _____ (3) sind. Auch wissenschaftliche Studien zeigen, dass der Klimawandel und die moderne Lebensweise nicht voneinander _____ (4) sind.

Für viele Bundesbürger sind die heißen Jahre des letzten Jahrzehnts sicher _____ (5); die Erinnerungen sitzen tief. Über Monate waren die Temperaturen so _____ (6), dass mehr Menschen aufgrund der Hitze medizinisch behandelt werden mussten als je zuvor. Und auch in der Natur waren _____ (7) Schäden festzustellen. Das sind die Fakten. Die Welt muss sich ändern, unsere Zeit erfordert eine sachliche Debatte über das Wie. Nicht über das Ob.

Doch insbesondere in den sozialen Netzwerken gibt es zum Teil aggressive Kritik an den Studien zum Klimawandel. Oft kommt sie von Personen, die eine Diskussion ablehnen bzw. die einen Wechsel der Lebensweise für _____ (8) halten. Die Vorgehensweise einiger Gegner bei ihrer Argumentation ist zum Teil _____ (9): Sie beleidigen, verdrehen die Fakten, veröffentlichen gefälschte Untersuchungen. Und manche bedrohen die Wissenschaftler*innen sogar. So etwas geht nicht; hier ist die Meinungsfreiheit am Ende.

Eine alte Krankheit der anonymen Internetuser scheint _____ (10) zu sein: Wenn sie einmal wütend sind, kennen sie kein Pardon mehr. Daher mein Wunsch: Lasst uns doch alle zu einer sachlichen Debatte zurückkehren.

c)   Finden Sie weitere Adjektive mit den Endungen aus a). Was drücken sie aus? Bilden Sie je einen Beispielsatz.

6 ARGUMENTATIV SCHREIBEN

a) Erstellen Sie in Stichworten eine Gliederung für einen argumentativen Text zum Thema *Emojis: Bereicherung der Kommunikation oder Sprachverfall?*

Einleitung	•
	•
	•
Hauptteil	•
	•
Schluss	•
	•
	•

b) Schreiben Sie die Einleitung für den argumentativen Text aus a). Denken Sie an die drei Teile, aus denen eine Einleitung besteht.

c) Schreiben Sie nun den Hauptteil und Schluss Ihres argumentativen Textes. Gehen Sie dabei auf Vor- und Nachteile von Emojis ein und schließen Sie die Argumentation mit Ihrer persönlichen Meinung zur Frage, ob Emojis eine Bereicherung der Kommunikation darstellen oder eher zum Sprachverfall führen.

7 ATTRIBUTE

a) Markieren Sie Artikel, Bezugswörter und Attribute wie im Beispiel und notieren Sie, um welche Attributart es sich jeweils handelt.

Adjektivattribut   Präpositionalattribut

1   [Das] schönste [Geschenk] zum Geburtstag war das gemalte Bild meiner Tochter.

2   Ein starkes Unwetter mit Sturmböen und herumfliegenden Ästen ist am Montag über die Region gezogen.

3   Im April 2019 gab es in der Kathedrale Notre-Dame, einem historischen Bauwerk in Paris, einen Groß-

brand, der gelöscht werden konnte.

4   In Deutschlands Hauptstadt haben immer mehr Leute Schwierigkeiten, eine bezahlbare Wohnung zu

finden.

5   Die junge Frau dort kann ihr weinendes Kind nicht beruhigen.

6   Viele Leute aus meiner Generation finden die Tatsache, dass die Erderwärmung immer weiter voran-

schreitet, beängstigend.

7   Die Anfrage an das Hotel, ob das Doppelzimmer mit Meerblick noch frei ist, wurde mit einer freundlichen

E-Mail beantwortet, auf die wir nicht lange warten mussten.

8   Im Deutschkurs gestern sprachen wir über den meistgesehenen Film aller Zeiten.

b) Markieren Sie im Text Artikel, Bezugswörter und Attribute und notieren Sie, um welche Attributart es sich jeweils handelt.

Die Stimme, die Gestik, die Mimik sind wichtige Hinweise auf die Stimmung. Auch ironische oder scherzhafte

Kommentare verstehen wir meistens sofort. All das fehlt in der schriftlichen Kommunikation und lässt sich

durch zwinkernde Smileys nur unzureichend ersetzen. Unbedachte oder ironisch gemeinte Formulierungen

können sowohl in sozialen Netzwerken als auch im Mailverkehr mit Kollegen zu wütenden Protesten führen,

die man gar nicht beabsichtigt hat. Digitale Medien sind also sehr schöne Werkzeuge, welche die Kommunika-

tion vielfältiger, umfassender und sicher interessanter gemacht haben. Diese Werkzeuge müssen jedoch klug

eingesetzt werden.

c) Erweitern Sie die folgenden Sätze mit den Attributen in Klammern an der passenden Stelle und ergänzen Sie ggf. die Endungen und Satzzeichen.

1   Geben Sie die Nudeln in *kochendes* Wasser. (+ kochend)

2   Nudeln sind das Lieblingsgericht meines Sohnes. (+ mit Tomatenketchup)

3   Fahrräder sind längst nicht mehr nur etwas für alte Menschen. (+ elektrisch betrieben)

4   Verkehrsbetriebe setzen heute auch Busse ein. (+ vieler Städte + elektrisch fahrend)

5   Die Auswirkungen werden in den Medien immer wieder thematisiert. (+ negativ + von Videospielen + auf Kinder)

6   Die Meldung war nicht zu verstehen. (+ gestern veröffentlicht + der Nachrichtenagentur)

7   Die Möglichkeiten werden durch die Angebote immer zahlreicher. (+ sich fit zu halten + digital)

8   Tofu ist köstlich. (+ in Sojasauce eingelegt)

9   Der Sportler hatte in seiner Verfassung keine Chance. (+ verletzt + gestern + das Rennen zu gewinnen)

10   Wie sollte die Regierung auf den Bedarf reagieren? (+ stetig zunehmend + an Studienplätzen)

11   In Paris wurden zahllose Liebesfilme gedreht. (+ der Stadt der Liebe)

12   Kinder haben viele Vorteile gegenüber ihren Altersgenossen. (+ mehrsprachig aufwachsend + einsprachig)

13   Der Energieverbrauch in Deutschland ist sehr groß. (+ durchschnittlich + ein Industrieland in Mitteleuropa)

14   Die Frage wird heiß diskutiert. (+ ob es außerirdisches Leben gibt)

15   Das Magazin berichtet über Aktivitäten in Großstädten. (+ beliebt + für Familien + deutsch)

8 DIGITAL NATIVES

*der Digital Native, -s
(deutsch: digitaler Ein-
geborener) = Person,
die in der digitalen
Welt (mit Internet,
Smartphones etc.)
aufgewachsen ist

Sie arbeiten in der Redaktion einer Zeitung. Für einen Artikel über das Verhalten von Digital Natives* sollen Sie eines der sechs Fotos auswählen. Sprechen Sie mit Ihrem Partner über die Fotos und kommen Sie am Ende gemeinsam zu einer Entscheidung. Machen Sie Vorschläge und reagieren Sie angemessen auf Vorschläge Ihres Partners. Begründen Sie Ihre Auswahl.

Bereiten Sie sich ca. 5 Minuten auf das Gespräch vor. Tipp: Machen Sie sich während der Vorbereitungszeit zu jedem Bild Notizen.

- Welche Situation wird dargestellt?
- Wie passt das Bild zum Thema? Welche Argumente sprechen für oder gegen die Bildauswahl?

9 RELATIVSÄTZE

a) Ergänzen Sie die Relativpronomen in der passenden Form, ggf. sind auch Präpositionen erforderlich.

1 Wasser ist ein Stoff, ...

- _____ man zum Leben braucht.

- _____ 70 % der Erdoberfläche bedeckt.

- _____ Gefrierpunkt bei 0 °C liegt.

- _____ man nicht verzichten kann.

- _____ man deshalb sparsam umgehen sollte.

- _____ Reinheit geachtet wird.

2 Kunststoff ist ein Material, ...

- _____ viele Verpackungen hergestellt werden.

- _____ man täglich zu tun hat.

- _____ Herstellung Erdöl verwendet wird.

3 Kohlendioxid (CO_2) ist eine chemische Verbindung, ...

- _____ bei der Verbrennung von Energieträgern entsteht.

- _____ der Klimawandel zurückgeführt wird.

- _____ Klimaschützer warnen.

4 E-Scooter sind Fahrzeuge, ...

- [   ] elektrisch angetrieben werden.

- [   ] Akkus wieder aufladbar sind.

- [   ] man sich vor allem in der Stadt gut fortbewegen kann.

b) Ergänzen Sie die Sätze frei.

1 Tee ist ein Getränk, ...

- das _____ .

- über dessen _____ .

- über das _____ .

- von dem _____ .

- dessen _____ .

- bei dem _____ .

2 Das Auge ist ein Organ, ...

- mit dem _____ .

- das _____ .

- dessen _____ .

- ohne das _____ .

- auf das _____ .

- bei dem _____ .

c) Bilden Sie Relativsätze wie im Beispiel.

1 Was kann man mit Handys machen? Ihr Betriebssystem ist veraltet.

   Was kann man mit Handys machen*, deren Betriebssystem veraltet ist?

2 Claudia lädt sich eine App für ihr Smartphone herunter. Damit erledigt sie ihr Online-Banking.

   _____

3 Morgen wird der neue Drucker geliefert. Wir haben ihn für die Personalabteilung bestellt.

   _____

4 Ich möchte heute über ein Thema sprechen. Darüber wird in Deutschland heiß diskutiert.

   _____

5 Was ist von der Elektromobilität zu halten? Damit sollen Schadstoffe reduziert werden.

   _____

6 Wir lassen uns auf keine technische Lösung ein. Ihre Umsetzung ist zu teuer.

   _____

*Infinite Verbteile (Infinitiv, Partizip II, Präfix) können auch zwischen dem Relativsatz und dem Bezugswort stehen.

10 DIGITALE HELFER

a) Die Personen 1–11 sind auf der Suche nach digitalen Kommunikationsmitteln, die ihren Alltag vereinfachen. Welcher Kurztext (A–E) passt am besten zu welcher Person? Wählen Sie pro Text nur <u>eine</u> Person aus.

Welches digitale Kommunikationsmittel passt am besten zu …

1 einem Manager, der während der Autofahrten häufig telefonieren muss und eine Alternative zum Handy sucht?

2 einem Krankenpfleger, der 200 km von seiner Arbeitsstelle entfernt wohnt und Pendelzeit einsparen möchte?

3 einer besorgten Mutter, deren Kind jeden Tag alleine zur Schule läuft?

4 jemandem, der Kontakt zu einem ehemaligen Nachbarn sucht, dessen Telefonnummer er aber verloren hat?

5 einem Arbeitnehmer, der nach Stellenanzeigen sucht?

6 der Geschäftsführerin einer Werbeagentur, deren Team wegen Bauarbeiten momentan von zu Hause aus arbeiten muss?

7 einem kleinen Team an Mitarbeitern, das gemeinsam an einem Projekt arbeitet?

8 einem Großvater, der gern Ausflüge mit seinen Enkeln macht?

9 einem Chef, der nach neuen Mitarbeitern sucht?

10 der Assistenz der Geschäftsleitung, die einen Termin für die Weihnachtsfeier von insgesamt 10 Mitarbeitern sucht?

11 einer Gruppe von Freunden, die die Route für ihre gemeinsame Radtour planen möchte?

A	B	C	D	E

A GETYOURDATE

Ob ein Ausflug mit der ganzen Familie, ein Restaurantbesuch mit Freunden oder ein Workshop mit den Kollegen: Oft gestaltet sich die Suche nach einem für alle passenden Termin als schwierig und äu-
5 ßerst mühsam. Wer konnte nochmal wann nicht?
GetYourDate bietet eine virtuelle Lösung für <u>dieses</u> Problem. Eine Person erstellt online eine Umfrage und schlägt Daten für den gemeinsamen Termin vor. Jeder Teilnehmer kann dann online eintragen, an welchen der vorgeschlagenen Terminen er Zeit hätte. Außerdem können die Teilnehmer sehen, was die anderen Teilnehmer der
10 Umfrage eingetragen haben. Am Ende gewinnt schließlich der Termin mit den meisten Übereinstimmungen.

B KÖNIGSWEG

Welcher Arbeitnehmer kennt <u>das</u> nicht? Die Präsentation für den Chef muss bis morgen fertig sein, das Meeting am Nachmittag ist noch
15 nicht vorbereitet und die wichtige E-Mail des Kollegen liegt schon seit drei Tagen unbeantwortet im E-Mail-Postfach. In dieser Situation fällt <u>es</u> oft schwer, Prioritäten zu setzen.
Das Online-Tool *Königsweg* kann Abhilfe schaffen. Hier kann der Chef Aufgaben für das Team anlegen, und auch die Mitarbeiter können Vorschläge zu anstehenden Projek-
20 ten und der Aufgabenverteilung machen. Mithilfe von Symbolen wird dann gemeinsam entschieden, welche Aufgaben Vorrang haben.

C MEET@HOME

An Besprechungen mit Kollegen von zu Hause aus teilnehmen?
Gar kein Problem mit *Meet@home*, dem digitalen Werkzeug für On-
25 line-Konferenzen.

Das Online-Tool *Meet@home* hilft, Konferenzen und Meetings im
Homeoffice persönlicher zu gestalten. Die Teilnehmer haben die Möglichkeit, ihrem Gegenüber per Videotelefonie direkt in die Augen zu
schauen. <u>Dabei</u> können die virtuellen Konferenzräume bei Bedarf auch geteilt werden, d. h. Gesprächs-
30 teilnehmer können sich für kleinere Besprechungsrunden in Nebenräume zurückziehen, genauso wie
im normalen Büroalltag. Die Software überzeugt durch ihre einzigartige Benutzerfreundlichkeit, stör-
freie Technik und zahlreiche Tools, durch <u>die</u> das Online-Meeting der analogen Konferenz in nichts
nachsteht.

D NETSWORXX

35 Was macht eigentlich der frühere Kollege inzwischen? Wer arbeitet
sonst noch in meinem Unternehmen? Was hat mein Chef eigentlich
früher beruflich gemacht? Und kennt vielleicht jemand jemanden, der
jemanden kennt, der gut in unsere Firma passen würde?
Netsworxx hilft bei diesen und anderen Fragen in Bezug auf das eigene

40 berufliche Netzwerk. <u>Hier</u> verbinden sich Menschen aus allen deutschsprachigen Ländern miteinander, die sich aus dem beruflichen Kon-
text kennen. *Netsworxx* verfügt dabei über Funktionen, die man auch aus anderen Online-Kontaktnetz-
werken kennt. Es gibt öffentliche Profile, auf <u>denen</u> User ihr Foto und ihren beruflichen Werdegang
hinterlegen. Kontakte können über die Suchfunktion gefunden und in einer Liste angelegt und ver-
45 waltet werden. Vertrauliche Informationen können über private Nachrichten ausgetauscht werden.
So werden sowohl neue berufliche Kontakte geknüpft als auch bestehende Kontakte intensiviert und
gepflegt.

E LITTLETRAX

Je älter Kinder werden, desto größer wird auch ihr Bedürfnis nach
50 Selbstständigkeit. Sei es die Klassenfahrt mit der Schule, der Ausflug
mit dem besten Freund oder der eigenständige Gang zur Bäckerei.
Für manche Eltern sind <u>solche</u> Unternehmungen mit großen Sorgen
verbunden.

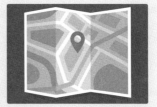

Das *Littletrax*-Armband ist <u>hier</u> die Lösung. Mithilfe von GPS-Daten
55 werden Kinder, die dieses Armband tragen, standortgenau geortet. Die zugehörige App zeigt auf einer
Karte an, wo sich die Kinder gerade befinden. Zudem verfügt das Armband über einen Wo-bist-du-
Knopf. Bei Bedarf kann man das Kind <u>hierüber</u> mithilfe eines Tonsignals bitten, per Knopfdruck zu
bestätigen, dass alles in Ordnung ist.

b) Welche Auswahl ist richtig? Kreuzen Sie an.

1 *Meet@home* bietet ...

A	eine störfreie Technik, die aber nicht ganz einfach zu bedienen ist.
B	die Möglichkeit, analoge Konferenzen persönlicher zu gestalten.
C	die Option, mehrere kleine Meetings gleichzeitig stattfinden zu lassen.

2 Wenn Kollegen *Königsweg* benutzen, ...

A	können sie Aufgaben nach Wichtigkeit sortieren.
B	werden alle E-Mails von dem Programm beantwortet.
C	werden Aufgaben automatisch verteilt.

3 *GetYourDate* hilft dabei, ...

A	einen Tisch im Restaurant zu reservieren.
B	den eigenen Terminplan besser im Auge zu behalten.
C	ein passendes Datum für einen gemeinsamen Termin zu finden.

4 Das Online-Kontaktnetzwerk *Netsworxx* ...

A	bietet Nutzern die Möglichkeit, Bewerbungen zu schreiben.
B	bietet die Möglichkeit, ein eigenes Profil anzulegen.
C	ist weltweit verfügbar.

5 Das *Littletrax*-Armband ...

A	ortet den Standort des Kindes mithilfe von GPS-Daten.
B	hat eine Funktion, die es ermöglicht, mit dem Kind zu telefonieren.
C	nimmt den Eltern alle Sorgen.

c) Auf welche Wörter bzw. Textstellen beziehen sich die folgenden im Text markierten Wörter?

dieses (Z. 6):

das (Z. 13):

es (Z. 17):

Dabei (Z. 29):

die (Z. 32):

Hier (Z. 40):

denen (Z. 43):

solche (Z. 52):

hier (Z. 54):

hierüber (Z. 57):

d) Ergänzen Sie die Wörter im Text. Passen Sie ggf. die Form an.

Alltag   digital   knüpfen   Lösung   selbstständig   Überblick   virtuell   Vorbereitung   Werkzeug

Die zunehmende Digitalisierung macht auch vor der modernen Arbeitswelt nicht halt. Immer mehr

Unternehmen setzen auf die Möglichkeiten des digitalen Austauschs und haben Programme in ihren

_____ (1) integriert, die Arbeitsabläufe vereinfachen sollen. So gibt es anscheinend für jedes

Problem eine digitale _____ (2). Programme zur Arbeitsorganisation lassen Mitarbeiter Prozesse

frei und _____ (3) gestalten. Mit _____ (4) zur Terminfindung können Termine

einfacher abgestimmt werden. Die _____ (5) von Meetings und Konferenzen wird durch

immer weiter verbesserte Präsentationsprogramme erleichtert. Eine nicht zu unterschätzende Rolle spie-

len auch virtuelle Tools zur Pflege von beruflichen Netzwerken und zum _____ (6) von neuen

beruflichen Kontakten. Medienexperten warnen allerdings auch vor der Fülle an _____ (7)

Angeboten und _____ (8) Werkzeugen. Firmen müssen Programme mit Bedacht auswählen, damit

Mitarbeiter nicht den _____ (9) verlieren.

11   NETIQUETTE

a) Sehen Sie sich die Bilder an. Was haben sie mit Kommunikation zu tun? Sprechen Sie mit Ihrem Partner.

b) Lesen Sie den Informationstext über Netiquette. Überlegen Sie dann mit Ihrem Partner, welche Regeln es für die Kommunikation in den verschiedenen Situationen (1–7) gibt und welche Verhaltensweisen tabu sind.

> Unter Netiquette (engl. *net* + frz. *etiquette*) versteht man die Regeln für ein gutes Verhalten im Internet. Dazu gehört zum Beispiel, dass man bei E-Mails – genau wie bei einem Brief – eine Anrede und eine Grußformel schreibt. Die Kommunikation sollte generell so höflich und formell sein, wie die Situation es erfordert. Wichtig ist auch, dass die Kommunikation klar ist, damit es keine Missverständnisse gibt.

1   E-Mails an den Chef / die Chefin
2   Partyplanung im Gruppenchat mit Freunden
3   Planung der Betriebsfeier im Gruppenchat der Arbeit
4   Sprachnachrichten für die Großeltern
5   Nachricht in einem Online-Forum
6   Internetkommentar zu einer Fernseh- oder Radiosendung
7   Chats mit dem Partner / der Partnerin

1   MODALVERBEN – WIR MÜSSEN REDEN!

Unterstreichen Sie die Modalverben. Was fällt auf? Was bedeuten die Ausdrücke? Sprechen Sie im Kurs und ordnen Sie zu.

4 Darf es ein bisschen mehr sein?

5 Muss das wirklich sein?!

6 Das darf doch nicht wahr sein!

7 Was soll das denn sein?

3 Wie du willst!

8 Ich kann nicht klagen!

2 Ich kann nicht mehr!

9 Was kann ich dafür?

1 Was muss, das muss!

10 Ich muss mal!

A	Ich erkenne nicht, was das ist.	F	Ich will das nicht glauben.
B	Das ist deine Entscheidung.	G	Ich habe keine Energie mehr.
C	Es gibt keine Alternative.	H	Ist das wirklich nötig?
D	Es geht mir ganz gut.	I	Das ist nicht meine Schuld!
E	Kaufen Sie mehr!	J	Ich brauche dringend eine Toilette!

1	2	3	4	5	6	7	8	9	10

2   KONJUNKTIV II – VERWENDUNG

Welche Bedeutung hat der Konjunktiv II hier? Ordnen Sie zu.

1   Du solltest zum Arzt gehen.

2   Könnten Sie mir bitten helfen?   A   höfliche Bitte

3   Ich wäre gern ein Mann.   B   Ratschlag

4   An deiner Stelle würde ich mehr tun.   C   irrealer Wunsch

5   Hätte er bloß weniger Angst!

6   Würden Sie mir bitte das Salz reichen?

7   Ich würde das nicht machen.

8   Wenn das doch einfacher wäre!

9   Wäre die Arbeit doch nicht so langweilig!

10   Wenn er mir doch nur helfen könnte!

1	2	3	4	5	6	7	8	9	10

3 KONJUNKTIV II DER GEGENWART – KÜNSTLICHE INTELLIGENZ

Ergänzen Sie den Konjunktiv II (ein Wort pro Lücke). Es kommen einfache und Formen mit *würde*- + Infinitiv vor. Zweimal müssen Sie eine Passivform bilden.

(1) Was _____ (sein), wenn Maschinen wie der Mensch selbststän-

dig Entscheidungen _____ _____ (treffen)? (2) Wenn sie

tatsächlich _____ (denken können)? In Bezug auf

diese Frage scheiden sich die Geister.

Die Gegner halten das für Teufelswerk: Autonome Maschinen sind in ihren Augen eine Gefahr für den Men-

schen. (3) Erstens _____ solche Maschinen Menschen an ihrem Arbeitsplatz _____

(ersetzen können), etwa bei der Montage von Fahrzeugen und Geräten oder in der Landwirtschaft. (4) Auch im

Transportwesen _____ (werden) viele Menschen, z. B. Busfahrer oder Zugführer, arbeitslos, wenn sog.

autonome Fahrzeuge zum Standard _____ (werden). (5) Zweitens stellt sich die Frage, ob Maschinen,

die mit künstlicher Intelligenz (KI) ausgestattet sind, dem Menschen weiterhin _____ _____

(dienen). (6) _____ sie gefährliche oder unangenehme Arbeiten für ihn _____

(erledigen), was sie bekanntlich heute schon tun? (7) Oder _____ sie intelligent genug, zu erken-

nen, dass bestimmte Aufgaben sie in Gefahr bringen (sein)? (8) _____ sie _____ dann

_____, sie zu übernehmen (sich weigern)? (9) _____ der Mensch sich auf

Konflikte mit den Maschinen _____ (einstellen müssen)? (10) Das _____ für ihn

weitreichende Konsequenzen (haben). (11) Kritiker der KI verweisen oft auf literarische Werke, in denen es

um die Gefahren von übermenschlichen Maschinen geht, denn so eine für den Menschen feindselige oder

gar gefährliche Welt _____ (sein) nach ihrer Überzeugung durchaus denkbar. Anhänger der KI sehen

das ganz anders. Ärztliche Diagnosen werden heute schon mit KI überprüft, etwa bei der Analyse von Rönt-

genbildern. (12) Da der Mensch Fehler macht, _____ (sein) die Unterstützung durch weitere selbst

denkende Systeme eine echte Hilfe. (13) Auch _____ sich durch intelligente Fahrzeuge viele Unfälle

_____ (vermeiden lassen). Schließlich werden die meisten Verkehrsunfälle durch überhöhte

Geschwindigkeit und Unachtsamkeit verursacht. (14) Vollautonome Fahrzeuge _____ tatsächlich

nur so schnell _____ (fahren), wie sie auf der jeweiligen Straße _____ _____

(fahren dürfen). (15) Und die Maschinen _____ auch nie müde (werden). (16) Auch das Argument,

dass durch intelligente Maschinen Menschen ihre Jobs _____ _____ und die Arbeits-

losigkeit _____ _____ (verlieren, steigen), lassen die Befürworter von KI nicht gelten. (17) Gut

ausgebildete Menschen _____ dann ganz andere Möglichkeiten zu arbeiten (haben). (18) Ihre Poten-

ziale _____ nicht durch stupide Fließbandarbeit _____ (verschwenden), sondern sie

_____ in kreativen und innovativen Berufsfeldern _____ _____ (einsetzen

können).

Bildung Konjunktiv II:
Präteritumstamm
(ggf. + Umlaut) +

- *e*   - *en*

- *est*   - *et*

- *e*   - *en*

1   ANGLIZISMEN

a)   Für einige Tätigkeiten im Zusammenhang mit elektronischen Medien fehlt es im Deutschen an kurzen,
prägnanten Wörtern, daher verwendet man Anglizismen, also Wörter aus dem Englischen. Ordnen Sie den
Anglizismen die passende Bedeutung zu.

1	bloggen	A	einen Computer oder ein Netzwerk mittels Schadsoftware (Viren, Trojaner)
2	googeln		angreifen
3	hacken	B	hochladen
4	posten	C	z. B. ein Lied oder einen Film in Echtzeit im Internet abspielen
5	scannen	D	durch Anklicken eines Symbols (Herz o. Ä.) seine Zustimmung mitteilen
6	streamen	E	eine digitale Kopie von einem Dokument oder Bild machen und speichern
7	surfen	F	sich (eher ziellos) durch das Internet bewegen
8	chatten	G	den Rechner oder ein Programm auf den neuesten Stand bringen
9	updaten	H	in Echtzeit Nachrichten mit anderen austauschen
10	downloaden	I	im Internet gezielt nach Informationen suchen
11	faken	J	fälschen
12	uploaden	K	etw. in einem Online-Netzwerk oder Forum veröffentlichen
13	liken	L	eine Seite betreiben, auf der man Texte und Bilder (zu einem bestimmten Thema) veröffentlicht
		M	herunterladen

1	2	3	4	5	6	7	8	9	10	11	12	13

 b)   Wie regelmäßig posten oder liken Sie etwas im Internet? Bloggen Sie? Schreiben Sie einen kurzen Text über Ihr
eigenes Medienverhalten und nutzen Sie dabei möglichst viele Wörter aus a).

2   SELF-TRACKING

a)   Was fällt Ihnen zum Thema Self-Tracking* ein? Welche Körperdaten werden beim Self-Tracking gemessen?
Sammeln Sie Wörter rund um den Körper und seine Funktionen. Erstellen Sie eine Mindmap.

*self (engl.) =
(sich) selbst;
tracking (engl.) =
messen

 b)   Sprechen Sie mit Ihrem Partner über Gesundheitsförderung. Die folgenden Fragen helfen Ihnen dabei.

- Treiben Sie Sport?
- Fahren Sie Fahrrad oder Bus?
- Nehmen Sie die Treppe oder fahren Sie mit dem Aufzug?
- Sind Sie ein Sportmuffel?
- Nutzen Sie Gesundheits-Apps wie z. B. eine Schrittzähler- oder Ernährungs-App? Was können diese Apps?
- Warum nutzen Sie oder andere Menschen Gesundheitsapps? Welche Gründe gibt es?
- Was tun Sie noch für Ihre Gesundheit?

c) Lesen Sie den Text. Worin sieht der Autor den größten Nutzen bei der Verwendung von Self-Tracking-Programmen? Und wo liegt das Hauptproblem?

Nutzen: _____

Problem: _____

SELF-TRACKING – VERMISS DICH SELBST

In einem gesunden Körper wohnt ein gesunder Geist, lautet ein Sprichwort, dem anscheinend mehr und mehr Menschen dank digitaler Technik folgen. Sie laden sich Apps auf das Smartphone, mit denen sie ihre Körperdaten (Blutdruck, Puls etc.) überwachen und gewissermaßen Aktivitäten messen, indem
5 sie etwa Schritte zählen oder die Nahrungsaufnahme des Tages festhalten. Auch ob man geraucht oder Alkohol getrunken hat oder wie die Stimmung ist, kann mit solchen Apps protokolliert werden. Für einige Nutzer mag das eine technische Spielerei sein, mit der man einfach mal die Möglichkeiten des Gerätes testet oder sich die Zeit vertreibt. Viele aber nutzen diese Programme, um ernsthaft ihre Gesundheit zu optimieren. Self-Tracking wird dieser Trend genannt, der weit mehr ist als bloß
10 ein Dienst am eigenen Körper. Mittels der Daten soll das eigene Verhalten geändert werden – und möglichst auch das der anderen. In sozialen Netzwerken, bei Nachrichten- und Messengerdiensten werden die Ergebnisse aus der Tracking-App dann geteilt und kommentiert; man begibt sich in eine soziale Kontrolle. Dort wird man gelobt, wenn die Anzahl der Schritte und die Blutwerte stimmen, was die Selbstoptimierer motivieren soll. Und man wird getadelt, wenn es ein Glas Wein zu viel war
15 oder man doch den Aufzug genommen hat, statt Treppen zu steigen. Viele sehen das als positiv an und geben zu, dass sie den Druck durch andere bräuchten, um diszipliniert an ihrer Gesundheit zu arbeiten. Jeder, der einmal versucht hat, sich das Rauchen abzugewöhnen, kennt das: Man informiert Familie, Freunde und Kollegen über die Flucht aus der Sucht und setzt sich deren Überwachung aus. Der Zweck ist klar: Man will die anderen nicht enttäuschen. Und das klappt in den meisten Fällen nicht.
20 Nur 3 bis 5 Prozent der Raucher, die eine Entwöhnung versucht haben, sind nach einem Jahr immer noch Nichtraucher, sofern sie nicht auf Hilfsmittel wie Medikamente oder Ersatzstoffe zurückgegriffen und radikale Veränderungen ihrer Gewohnheiten vorgenommen haben.

Die Vermessung des eigenen Körpers soll aber, so scheint es, einen Kompromiss darstellen: Man achtet hier und da ein bisschen mehr auf sein Verhalten, verzichtet heute mal auf Fast Food und morgen
25 mal auf das Auto – und erwirbt sich durch Likes auf Onlineplattformen ein gutes Gewissen. Ob eine solche Taktik nachhaltig ist, darf bezweifelt werden.

Dabei ist das Konzept solcher Programme gar nicht mal schlecht. Indem man seine Daten erfasst, wird einem durchaus bewusst, wie das Verhalten mit den Körperwerten zusammenhängt. Man führt sich vor Augen, wie etwa der Alkoholkonsum in Stresssituationen steigt oder dass man nach einem
30 ausgedehnten Waldspaziergang plötzlich viel besserer Laune ist. Solche Selbsterkenntnisse vermitteln die Apps mittels Daten in Form von Zahlen. Dieses Konzept der „Self Knowledge Through Numbers" wurde 2007 von den amerikanischen Journalisten Gary Wolf und Kevin Kelly entwickelt. Unter dem Schlagwort „The Quantified Self" machten sie ihre Idee bekannt. In der Folge begeisterten sich vor allem gesunde und technikbegeisterte junge Männer für Selbstquantifizierung.

35 Was diesen Selbstoptimierern offenbar als nicht so wichtig erscheint, ist der Verbleib der Daten bzw. der Umgang damit. Zwar garantieren die meisten Entwickler solcher Apps, dass die Daten nicht an Dritte weitergegeben würden. Doch einmal von den Nutzern in sozialen Netzwerken gepostet, sind sie öffentlich, sodass sich von den Nutzern noch viel umfassendere Profile erstellen lassen.

Kritiker dieser digitalen Körperschau gehen sogar noch ein paar Schritte weiter. Sie halten es für denk-
40 bar, dass Arbeitgeber ihre Angestellten dazu verpflichten oder zumindest darauf drängen könnten,

ihre biologischen Daten erfassen zu lassen. Der Sportmuffel im Kollegium könnte zu Fitnesstraining animiert werden, der Fast-Food-Freund zu gesünderer Ernährung. Im Krankheitsfall gäbe es Möglichkeiten der Interpretation: Hat die Mitarbeiterin bei ihrem Infekt einfach Pech gehabt? Oder hat sie sich verantwortungslos verhalten? Und wie bereit sind die Mitarbeiter grundsätzlich, ihre Lebensführung
45 den Interessen eines Unternehmens anzupassen?

Auch bei der immer wieder aufkommenden Diskussion darum, ob bei leichtsinnigem Verhalten bestimmte Behandlungen nicht mehr von den Krankenkassen bezahlt werden sollen, ergeben sich durch Trackingsysteme neue Gesichtspunkte. Darf jemand für eine Erkrankung verantwortlich gemacht werden? In diesem Zusammenhang erscheint es fast schon paradox, dass Ärzte einer Schweigepflicht
50 unterliegen, während im Internet viele Daten zur Gesundheit von Self-Trackern offen einsehbar sind.

d)   Welche Aussage stimmt mit dem Text überein? Kreuzen Sie an.

1   Es gibt Apps für das Smartphone, ...

A   mit denen sich Körperdaten und Aktivitäten gezielt beeinflussen lassen.

B   um Körperdaten und Aktivitäten zu erfassen.

C   die vor schlechten Gesundheitswerten warnen.

2   Neben der Überwachung von Körperdaten und der Ermittlung von Aktivitäten ...

A   können in der App auch Gefühlslage und Ernährungsgewohnheiten festgehalten werden.

B   sind vor allem technische Spielereien für die Nutzer interessant.

C   gibt die App Tipps zur optimalen Ernährung und zur Vermeidung von Alkohol und Tabak.

3   Nutzer des Self-Trackings ...

A   sind einzig an ihren eigenen Körperdaten interessiert.

B   vertreiben sich mit den Apps meistens bloß die Zeit.

C   wollen sich und andere zu einer Verhaltensänderung bewegen.

4   Das Teilen von Gesundheitsdaten in sozialen Netzwerken und anderen Internetdiensten ...

A   übt auf die Nutzer Druck aus und schafft zugleich Motivation.

B   führt nachweislich zu positiven Effekten bei den Nutzern.

C   erfolgt automatisch, ohne dass die Nutzer davon wissen.

5   Wer mit dem Rauchen aufhören will, setzt sich oft freiwillig einem sozialen Druck aus, ...

A   weil so die Erfolgschancen am größten sind.

B   um seine Disziplin zu demonstrieren.

C   was aber in den seltensten Fällen zu einem Erfolg führt.

6   Größere Erfolgschancen bei der Entwöhnung von der Tabaksucht hat man, wenn ...

A   sich Familie, Freunde und Kollegen intensiv um einen kümmern.

B   Hilfsmittel genutzt und Lebensgewohnheiten grundlegend geändert werden.

C   man sich ein Jahr lang nur noch mit Nichtrauchern trifft.

e) Richtig oder falsch? Kreuzen Sie an.

R	F	1	Wer Self-Tracking nutzt, fällt selten in alte Gewohnheiten zurück.
R	F	2	Ob Self-Tracking längerfristig von Nutzen ist, wird skeptisch gesehen.
R	F	3	Positiv zu vermerken ist ein gesteigertes Bewusstsein für gesundheitliche Zusammenhänge.
R	F	4	Im Jahr 2007 berichteten die amerikanischen Journalisten Gary Wolf und Kevin Kelly erstmals über den damals bei jungen Männern beliebten Trend.
R	F	5	Was mit den veröffentlichten Daten geschieht, spielt für die Nutzer des Self-Trackings anscheinend keine große Rolle.
R	F	6	Eine große Zahl der Entwickler solcher Self-Tracking-Apps stellt die Daten ihrer Kunden bei sozialen Netzwerken ein.
R	F	7	Zahlreiche Arbeitgeber haben ihre Angestellten schon zur Nutzung von Self-Tracking-Apps verpflichtet.
R	F	8	Es besteht die Gefahr, dass Arbeitgeber versuchen, durch Self-Tracking auf Fitness und Ernährung ihrer Angestellten Einfluss zu nehmen.
R	F	9	Grundsätzlich sind die Mitarbeiter einer Firma bereit, ihre Lebensführung für ein Unternehmen zu optimieren.

f) Welcher Widerspruch wird im Text in Bezug auf persönliche Daten zur Gesundheit beschrieben?

Einerseits _____ ,

andererseits _____ .

3 PARTIZIP II ALS ADJEKTIV

Setzen Sie die Verben als Partizip II in die beiden Texte ein. Tipp: Überfliegen Sie zuerst die Texte und überlegen Sie, welches Partizip II wo fehlen könnte.

abdrucken   anlegen   aufladen   ausstatten (mit)   beilegen   einbauen (in)   installieren   registrieren   schützen (vor)
speichern (2x)   synchronisieren (mit)   verbinden (mit)   verkleben   verschrauben

Hoffentlich ist alles sicher

Wenn man Angebote von Internetseiten nutzen möchte, ist oft eine Registrierung nötig. Denn nur wenn

man _____ (1) ist, kann man Angebote dieser Websites nutzen. Zur Registrierung sind

Formulare _____ (2), in die man Name, Geschlecht, Wohnort und E-Mail-Adresse einge-

ben soll. Alle Seitenbetreiber garantieren, dass diese Daten vor dem Zugriff anderer Personen (sog. Dritter)

_____ (3) seien.

Dieses Verfahren der Registrierung nutzen auch Verlage von Schulbüchern und Lehrwerken. Heute sind

Audios und Videos nicht mehr den Büchern _____ (4), sondern auf den Verlags-Webseiten

_____ (5). Oft sind in den Büchern PIN-Nummern _____ (6), die man bei der

Registrierung eingeben muss.

Rund ums Smartphone

Smartphones sind beliebte Geräte. Der Kauf eines solchen Gerätes ist häufig mit dem Abschluss eines Telefon-

vertrages _____ (7). Holt man das Gerät bei seinem Anbieter ab, ist es aus Sicherheitsgründen

oft nicht vollständig _____ (8), sodass man es zu Hause an eine Stromquelle anschließen

sollte. Auf allen Smartphones ist ein Betriebssystem _____ (9) sowie jede Menge an gängi-

gen Apps. Zudem sind sie mit mehreren Drahtlosverbindungen _____ (10), je nachdem wie

man mit der Außenwelt kommunizieren will. Selbstverständlich ist in jedes Smartphone auch eine Kamera

_____ (11).

Billigere Smartphones haben den Nachteil, dass ihr Gehäuse _____ (12) und nicht z. B.

_____ (13) ist. Dadurch ist das Wechseln des Akkus fast unmöglich, wenn dessen Leistungs-

fähigkeit nachlässt.

Wenn man sein Smartphone z. B. mit dem PC verbunden hat und die Dateien _____ (14) sind,

kann man sich Handyfotos am PC ansehen. Ein gemeinsames Arbeiten an Dateien ist außerdem möglich, wenn

die Dateien in einer Cloud _____ (15) sind.

4 *WERDEN* ODER *SEIN* – BÖSE ÜBERRASCHUNG

Ergänzen Sie *werden* oder *sein*. Oft sind beide Verben möglich.

Vergangene Nacht _____ (1) Herrn Winfried Schmockels Fahrzeug von mehreren Tätern mutwillig

beschädigt. Das belegen die Spuren am Pkw, die sorgsam gesichert _____ (2). Wie Herr Schmockel

glaubhaft mitteilte, _____ (3) das Fahrzeug gestern Abend noch unbeschädigt. Darauf lässt auch ein

Foto schließen, welches vom Geschädigten gestern Abend noch auf einem Online-Kontaktnetzwerk

gepostet _____ (4). Bei dem Fahrzeug handelt es sich um einen *Aurelia Z 2*, Baujahr 1952, der

heute nicht mehr hergestellt _____ (5).

Herr Schmockel _____ (6) zwar versichert, ob der komplette dem Schaden entsprechende Geldbetrag

ausgezahlt _____ (7), muss aber bezweifelt _____ (8).

Zum Zustand des Fahrzeugs: Die Scheibe der Fahrer-

tür _____ (9) eingeschlagen, der Fahrersitz

_____ (10) herausgerissen. Offensichtlich

_____ (11) er mit einem scharfen Gegenstand

(wahrscheinlich mit einem Messer) aufgeschlitzt. Die

Stoßstange _____ (12) abgerissen, ebenso

das Kfz-Kennzeichen. Die Scheibenwischer _____ (13) verbogen, die Antenne _____ (14)

abgeknickt. Wahrscheinlich mit einer Eisenstange _____ (15) die Scheinwerfer und der rechte vordere

Kotflügel verbeult. Die Räder _____ (16) abmontiert und schließlich von den Tätern weggebracht.

5 MEDIENVERHALTEN

Wählen Sie eine oder zwei Fragestellungen aus und sprechen Sie mit Ihrem Partner.

A Nutzen Sie die Neuen Medien kreativ? Fotografieren oder zeichnen Sie? Haben Sie einen Blog? Oder filmen und schneiden Sie eigene Videos? Berichten Sie, was Sie machen und welche digitalen Programme Sie nutzen.

B Welche Gefahren gibt es im Internet und wie schützen Sie sich davor? Welche technischen Lösungen bzw. Möglichkeiten nutzen Sie? Wie verhalten Sie sich?

C Fake News, Hatespeech, Propaganda – Was ist das? Haben Sie so etwas schon einmal im Internet erlebt? Wo gibt es das? Wer verbreitet es?

D Haben Sie schon beobachtet, dass politische Entscheidungen durch Posts in virtuellen Gemeinschafts-portalen beeinflusst wurden oder werden? Welchen Nutzen haben politische Äußerungen im Internet und welchen Schaden können sie anrichten?

6 MEDIENNUTZUNG – EIN INTERVIEW

a) Hören Sie das Interview. Welche beiden Medien werden in Deutschland am meisten und welches Medium am wenigsten genutzt?

am meisten: am wenigsten:

b) Hören Sie das Interview noch einmal und bearbeiten Sie die Aufgaben.

1 Richtig oder falsch? Kreuzen Sie an.

R	F	1	Bis heute gibt es Jahr für Jahr einen deutlichen Rückgang an Kinos.
R	F	2	Die meisten Menschen lesen Bücher heute als E-Books.
R	F	3	Auch in Deutschland sind Computer und Smartphones die am häufigsten verwendeten Medien.
R	F	4	Die Deutschen verbringen mehr Zeit mit Computerspielen und Musikstreaming als mit der Lektüre von Büchern.
R	F	5	Jugendliche verbringen unwesentlich mehr Zeit mit Computerspielen und Online-videos als Erwachsene.
R	F	6	Frauen über 60 stellen den größten Anteil in der deutschen Bevölkerung.
R	F	7	Fernseh- und Radiokonsum kommen zusammen auf rund sieben Stunden pro Tag.
R	F	8	Durch die Studie sollte ermittelt werden, wie lange der Computer täglich eingeschaltet ist.
R	F	9	Die Nutzung von Inhalten im Internet dauert nicht einmal eine Dreiviertelstunde täglich.
R	F	10	In der Studie wird unterschieden, ob ein Medium analog oder digital konsumiert wird.

2 Warum spielte das Verfassen von E-Mails keine Rolle in der Studie?

3 Was meint der Moderator, wenn er sagt: „Meine Frau und ich werden versuchen, diesen Wert aufzubes-sern"?

Er plant,   .

7 KÖNNEN UND DÜRFEN

a) Lesen Sie den Text und markieren Sie alle Textstellen, die *(nicht) können* oder *(nicht) dürfen* ausdrücken, in zwei unterschiedlichen Farben.

VERHALTEN AM ARBEITSPLATZ

Pünktlichkeit

Bei Meetings mit Kollegen, dem Chef oder Kunden ist unbedingt sicherzustellen, pünktlich zu erscheinen. Auch wenn Sie selbst Meetings leiten, beginnen Sie pünktlich, auch wenn noch nicht alle Teil-
5 nehmer anwesend sind. So zeigen Sie Respekt gegenüber den Anwesenden, die pünktlich erschienen sind. Ständige Unpünktlichkeit ist unannehmbar und kann eine Abmahnung durch den Arbeitgeber nach sich ziehen. Wenn Sie doch einmal den Fehler begehen, zu spät zu erscheinen, beweisen Sie, dass Sie lernfähig sind, und sorgen Sie dafür, dass dies kein zweites Mal passiert!

Duzen vs. Siezen

10 Ob in einem Unternehmen geduzt oder gesiezt wird, lässt sich von außen nicht auf Anhieb erkennen. In sehr konservativen Unternehmen wird sich nicht geduzt! Bei moderneren Firmen wird es häufig anders gehandhabt. Beim Vorstellungsgespräch ist der potenzielle Chef grundsätzlich erst einmal nicht zu duzen, so viel ist klar! Bei den Kollegen entscheiden nicht Sie als Neuankömmling über die Form der Anrede, sondern der ranghöhere Kollege, sprich der Mitarbeiter, der länger im Dienst ist.

15 #### Dresscode

Wie der Dresscode in einer Firma ist, ist nicht pauschal zu beantworten. In vielen Traditionsunter-
nehmen ist das klassische Businessoutfit Pflicht, in anderen Unternehmen kann der Arbeitnehmer tragen, was er möchte. Was als „richtige" Kleidung wahrgenommen wird, hängt stark von den Erwar-
tungen Ihres Gegenübers ab. So gibt es konkrete Vorstellungen bei Kunden und Geschäftspartnern
20 bezüglich Ihres Erscheinungsbildes. Finanzberater oder Anwälte haben bei einem Geschäftsmeeting beispielsweise nicht in Jeans und T-Shirt zu erscheinen, während Künstler durchaus in Alltagsklei-
dung auftreten dürfen. Achten Sie bei der Wahl Ihrer Kleidung also darauf, was Kunden, Kollegen und Vorgesetzte tragen. Bei Unsicherheit gilt die Regel „Besser under- als overdressed!".

---

b) Schreiben Sie die unterstrichenen Sätze aus a) um. Benutzen Sie *(nicht) dürfen* oder *(nicht) können*.

8 MODALVERBALTERNATIVEN

a) Drücken Sie die Modalverbumschreibungen durch die Modalverben *können* oder *dürfen* aus.

1   Es ist Ihnen nicht erlaubt, hier Ihren Wagen zu parken.

Sie   Ihren Wagen

2   Hast du eine Möglichkeit, günstig in München zu übernachten?

du

3   Manche Menschen sind nicht einmal in der Lage, fünf Minuten auf ihr Handy zu verzichten.

Manche Menschen

4   Das Rauchen ist nur innerhalb der markierten Zonen gestattet.

Man

5   Diese App ist imstande, den Blutdruck zu messen.

6   Viele Ärzte vermögen es nicht, klar und verständlich mit ihren Patienten zu sprechen.

7   Wie ist es möglich, diesen Satz zu verstehen?

8   Manche Menschen sind dazu fähig, die bösesten Dinge zu tun.

9   Die Einreise in die Bundesrepublik ist Ihnen hiermit genehmigt.

Hiermit   Sie

10   Ich hatte einmal die Gelegenheit, den Präsidenten zu treffen.

Einmal   ich

b)   Drücken Sie die beiden folgenden Sätze mit möglichst vielen unterschiedlichen Modalverbalternativen aus, ohne den Sinn zu ändern. Schreiben Sie in Ihr Heft.

1   Man darf seinen Müll nicht in der Natur entsorgen.
2   Ich kann keine Computerspiele programmieren.

9   FORMELLE E-MAILS SCHREIBEN – FLUGREISE

Sie wollten mit *SchweizFly* von Zürich nach Wien fliegen und haben Hin- und Rückflug zum Preis von 95,99 Euro gebucht und bezahlt. Der Hinflug war für Freitagmorgen gebucht, der Rückflug für Sonntagabend – ein schönes verlängertes Wochenende in Wien. Sie haben Ihr Ticket schon lange vor dem Flugtermin gebucht. Außerdem haben Sie für 24 Euro zusätzlich feste Sitzplätze reserviert. Nun haben Sie am Donnerstag folgende E-Mail erhalten:

Von: info@schweizfly.com
Betreff: Wichtige Informationen zu Ihrer Flugreise
An: fluggast@p-mail.com

→ Antworten   → Weiterleiten   ⊘ Löschen

Sehr geehrter Fluggast,

wir bedauern sehr, dass sich die Buchung Ihrer Reise von Zürich nach Wien aufgrund einer Überbuchung* geändert hat. Ihr Abflug erfolgt nun am Samstagnachmittag um 15:10 Uhr (Flug DA4344), der Rückflug am Montagmittag um 13:25 Uhr (Flug DA2332). Um die Unannehmlichkeiten zu entschuldigen, erlassen wir Ihnen 10 Prozent des Preises. Bitte teilen Sie uns mit, ob Sie Ihre Flugreise dennoch antreten wollen.

Mit freundlichen Grüßen
Ihr SchweizFly Team

*die Überbuchung, -en = mehr Buchungen als verfügbare Plätze

Antworten Sie auf die E-Mail. Teilen Sie der Fluggesellschaft mit, ob Sie die Umbuchung annehmen, und begründen Sie Ihre Entscheidung. Beschweren Sie sich außerdem über die vorgeschlagene Umbuchung. Formulieren Sie Ihre Beschwerde klar und deutlich. Bleiben Sie dabei aber sachlich und höflich. Die folgenden Ideen können Ihnen helfen.

- Montag = Arbeitstag
- ungünstigere Abflugzeiten (nachmittags bzw. mittags)
- 10 Prozent Preiserlass genug?
- Information der Airline kurzfristig
- keine Information zur Sitzplatzreservierung
- Airline verantwortlich für Überbuchung

10 KONJUNKTIV II DER VERGANGENHEIT – ANDERS WÄRE BESSER GEWESEN

a) Welches Verhalten wäre besser gewesen? Bilden Sie Sätze im Konjunktiv II. Ändern Sie auch weitere Teile der Sätze (z. B. fällt *leider* weg, *besser / lieber* werden ergänzt). Es gibt verschiedene Lösungen.

1 Ich habe gestern ein Video illegal aus dem Internet heruntergeladen.

> *Ich hätte gestern das Video besser nicht illegal heruntergeladen.*

2 Bei dem Sturm ist meine Frau mit dem Fahrrad zur Arbeit gefahren.

3 Leider habe ich mein Portemonnaie zu Hause vergessen.

4 Mein Kollege hat während der Arbeitszeit privat im Internet gesurft.

5 Wir sind am Samstag unserem alten strengen Lehrer begegnet.

6 Ihr habt einen Flug bei *SchweizFly* gebucht.

7 Anton hat die Abgabefrist für seinen Antrag verpasst.

8 Für den Krankheitstag hat sich Frau Meier kein Attest besorgt.

9 Der Fahrgast ist kurz vor seiner Ankunft in Köln eingeschlafen.

10 Aus Versehen hat Steffi in eine rohe Chilischote gebissen.

11 Du hast tatsächlich den Mietvertrag unterschrieben!

b) Formulieren Sie Ihre Sätze aus a) in irreale Wünsche um wie in den Beispielen.

Hätte / Wäre + ... + *doch / bloß / nur* + ... + Partizip II + Ausrufezeichen
(Position 1)   (Satzmitte)   (Ende)

1 Hätte ich doch das Video bloß nicht illegal heruntergeladen!

2 Wäre meine Frau bei dem Sturm nur nicht mit dem Fahrrad gefahren!

3 Hätte ich bloß

4

5

6

7

8

9

10

11

c) Was hätten Sie tun können oder müssen? Ergänzen Sie in den Sätzen den Konjunktiv II der Vergangenheit mit *können* oder *müssen*. Manchmal gibt es mehrere Lösungen.

1 Wann **hätte** ich den Antrag abgeben **müssen** ?

2 Wir   gestern noch Lebensmittel einkaufen   . Heute sind die Läden zu!

3 Ich   am Samstag ausschlafen   ! Ich hatte aber den Wecker gestellt.

4 Weshalb   wir eine Stunde später kommen   ? – Der erste Referent ist krank.

5 Herr Schlendrian, Sie   schon vor 30 Minuten hier sein   !

6 Schade! Wir   am Samstag den Film zu einem ermäßigten Preis sehen   .

7 Du   heute früh den Müll rausstellen   ! Jetzt nimmt die Müllabfuhr ihn nicht mit.

8 Die Kinder   ruhig noch eine Stunde länger bleiben   . Es war so nett.

9   du nicht gestern dein Referat halten   ? Der Professor war sehr verärgert, als du nicht kamst.

10 Sehr geehrter Herr Piper, natürlich [_____] Sie auch den günstigeren Stromtarif wählen

[_____], aber ...

11 Ich verstehe das nicht! Der Zug [_____] schon vor anderthalb Stunden kommen [_____].

12 Wie [_____] ich das denn wissen [_____], wenn du es mir nicht sagst?

13 Prokrastination bedeutet, dass man längst mit der Arbeit [_____] anfangen [_____], aber

andere Tätigkeiten vorzieht.

14 Die Folgen waren so klar, dass man das eigentlich [_____] wissen [_____].

15 Was [_____] man tun [_____], um diese Situation zu vermeiden?

16 Wie [_____] ich denn vorhersehen [_____], dass plötzlich ein Baum auf die Straße fällt?

d) Wie hätten die folgenden Szenarien verhindert werden können? Schreiben Sie irreale Konditionalsätze im Konjunktiv II der Vergangenheit. Es gibt viele Lösungen.

1 Das Auto wurde bei dem Unfall beschädigt.

> Wenn er vorsichtiger gefahren wäre, wäre das Auto nicht beschädigt worden.

2 Gestern wurde mein Portemonnaie in der Stadt gestohlen.

3 Meine Bewerbung wurde abgelehnt.

4 Bei meinem vorherigen Arbeitgeber wurde mein Engagement nicht gewürdigt.

5 Im gestrigen Meeting wurde meine Meinung überhaupt nicht respektiert.

6 Er wurde von anderen Passanten beschimpft.

e) Was ist denn hier passiert? Sprechen Sie mit Ihrem Partner. Formulieren Sie verschiedene irreale Wünsche und Konditionalsätze zu den Bildern. Bilden Sie Sätze mit und ohne Modalverb, im Aktiv und im Passiv.

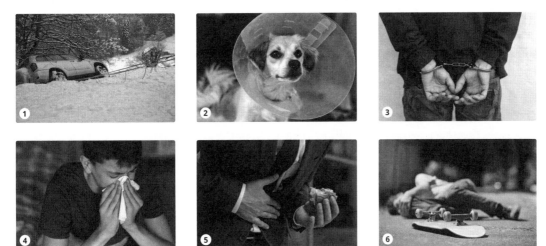

Wäre der Autofahrer doch langsamer gefahren! / Wenn er langsamer gefahren wäre, hätte ...

11 FAIRE SMARTPHONES

→ KB 30, 5

Schreiben Sie einen Text, in dem Sie das Konzept von fair produzierten Smartphones erklären und ihre Vor- und Nachteile gegenüberstellen. Recherchieren Sie ggf. auch im Internet Informationen dazu. Nehmen Sie anschließend Stellung zu der Frage, ob der Kauf eines fairen Smartphones zu empfehlen ist.

12 SATZBAU – *NÄMLICH*

Wo steht *nämlich*? Markieren Sie die Position jeweils im zweiten Satz wie im Beispiel.

1   Ich kaufe nur Biogemüse. Ich achte auf den Umweltschutz. *(nämlich — markiert nach "Ich achte")*

2   Ich kann mich nicht konzentrieren. Ich habe schlecht geschlafen.

3   Er hat schlechte Laune. Er hat sich über seine Kollegin geärgert.

4   Sie ruft den Arzt. Heute musste sie sich schon mehrfach übergeben.

5   Haben wir noch Milch? Wenn wir keine Milch mehr haben, müssen wir einkaufen.

6   Willst du wirklich mit ins Konzert? Wenn du keine Lust hast, frage ich jemand anderen.

13 VERBEN UND ADJEKTIVE MIT PRÄPOSITIONEN

a) Welche Lösung passt? Streichen Sie die falschen Lösungen durch.

Liebe Anita,

du hast in deiner letzten E-Mail davon / ~~von~~ / ~~damit~~ (1) gesprochen, dass du dich für / bei / um (2)

einer anderen Firma bewerben willst. Du hast geschrieben, dass du mit / an / in (3) deiner jetzigen

Stelle nicht mehr zufrieden seiest. Ich will dich aber davon / dadurch / davor (4) warnen, dich zu schnell

in / für / gegen (5) einen Wechsel zu entscheiden.

Als du mir vor einem halben Jahr von / über / mit (6) deinem Job erzählt hast, warst du doch so glücklich. Du

hast mir für / von / vor (7) dem netten Team vorgeschwärmt. Ja, du hast sie fast bei / mit / zu (8) einer

Familie verglichen. Und du hast davon / von / über den (9) erzählt, dass du in / mit / an (10) mehreren

Betriebsausflügen teilgenommen hast. Und wie lustig diese gewesen seien. Und jetzt verstehst du dich nicht

mehr von / bei / mit (11) deinen Kollegen? Was ist passiert? Gibt es niemanden in deiner Firma,

an den / daran / am (12) du dich wenden kannst, um diese plötzlichen Schwierigkeiten zu besprechen?

Oder hat es einen Konflikt gegeben, von dem / vor den / vom (13) ich nichts weiß?

Ich erinnere mich noch gut an / an den / daran (14), dass du einmal ohne Grund als / auf / für (15) eine

Kollegin sauer warst. Sie habe sich mit / vor / bei (16) eurem Chef von / über / für (17) dich beschwert.

Dabei hat sie nur versucht, mit ihm eure Aufgaben anders zu verteilen. Du hast ja auch später zugegeben, dass

du dich damit / in / mit der (18) dieser Sache geirrt hattest.

Kurz gefragt: Kann es sein, dass (auch) du darauf / für / dafür (19) verantwortlich bist, dass die Situation sich

so entwickelt hat? Da ich deine Freundin bin, muss ich mich so deutlich danach / nach / darin (20) erkundi-

gen. Denn ich finde, man muss auch bei sich selbst von / auf / nach (21) Fehlern suchen.

Ich finde es aber super, dass du dich mit deinem Kummer an / um / auf (22) mich wendest, obwohl ich

mit / unter / von (23) Psychologie in der Arbeitswelt nicht sehr viel verstehe – um ganz ehrlich zu sein. Im

Großen und Ganzen halte ich aber nicht sehr viel damit / daran / davon (24), solche ernsten Themen in

einer E-Mail zu diskutieren. Vielleicht sollten wir uns besser mal miteinander / mit dir / mit (25) treffen und

deine Lage bei einem Kaffee besprechen.

Was meinst du damit / dazu / daran (26) ?

Viele Grüße
Eva

b) Was könnte Anita an Eva geschrieben haben? Schreiben Sie Anitas Ursprungs-E-Mail an Eva.

14 ALTMODISCHE LEHRMETHODEN?

a) Vergleichen Sie die beiden Klassenzimmer miteinander. Was fällt Ihnen auf? Wie sahen die Klassenzimmer in Ihrer Schule aus? Sprechen Sie mit Ihrem Partner.

b) Lesen Sie den Text und ergänzen Sie ihn. Welches Wort passt? Wählen Sie aus.

Kreide und Papier – altmodisch oder effektiv?

An deutschen Schulen wird häufig kritisiert, ___1___ dort mit altmodischen Methoden unterrichtet wird. Moderne Technik findet man oft nur im Computerraum. Viele Lehrende schreiben mit Kreide ___2___ die Tafel und die Schüler mit Füller auf Papier – genau wie in deutschen Schulen vor hundert Jahren.

Der Einsatz von Kreide und Papier hat allerdings auch Vorteile. Erstens müssen sich Lehrer, die an der Tafel arbeiten, vor dem Unterricht sehr genau überlegen, ___3___ sie an die Tafel schreiben wollen und ___4___ sie die Schüler dabei einbeziehen können. Erst ___5___ das gemeinsame Erarbeiten der Lerninhalte an der Tafel werden die Schüler aktiv in den Prozess einbezogen – und der Lerneffekt wächst. Im Gegensatz ___6___ können Computer und Whiteboards im schlimmsten Fall ___7___ führen, ___8___ die Lehrenden lange Präsentationen vorbereiten, die dann im Unterricht nur noch vorgetragen werden, ___9___ die Schüler dabei aktiv am Unterrichtsgeschehen zu beteiligen.

Oft wird auch gefordert, dass alle Schüler ein eigenes Tablet für den Unterricht bekommen sollten, ___10___ den Umgang mit modernen Medien zu lernen. Doch auch hier hat die altmodische Methode, mit einem Stift auf Papier zu schreiben, entscheidende Vorteile. Einerseits wird dadurch die Feinmotorik verbessert, andererseits fördert das Schreiben mit der Hand die Konzentration. Studien zur Lernforschung zeigen außerdem, dass Dinge, ___11___ wir mit der Hand aufschreiben, länger im Gedächtnis bleiben.

Alles in allem lässt sich also sagen, dass sich ___12___ die Verwendung traditioneller Lehrmethoden positive Effekte auf das Lernen erzielen lassen.

1	**A**	weil	**B**	dass	**C**	deshalb
2	**A**	über	**B**	in	**C**	an
3	**A**	was	**B**	welche	**C**	wen
4	**A**	warum	**B**	wie	**C**	wozu
5	**A**	mit	**B**	wegen	**C**	durch
6	**A**	damit	**B**	dazu	**C**	darüber
7	**A**	dazu	**B**	dabei	**C**	danach
8	**A**	dass	**B**	weil	**C**	sodass
9	**A**	um	**B**	ohne	**C**	/
10	**A**	damit	**B**	/	**C**	um
11	**A**	die	**B**	das	**C**	denen
12	**A**	mit	**B**	durch	**C**	ohne

c) Stellen Sie sich vor, die Schulen in Deutschland würden Tablets für alle Schüler einführen. Sprechen Sie mit Ihrem Partner über folgende Fragen.

- Welche Vorteile hätte das für die Schüler?
- Welche Probleme könnte es dadurch neben den in b) genannten Nachteilen im Unterricht geben?
- Welche Fragen und Herausforderungen würden sich dadurch für Schulen ergeben? (zentrale/dezentrale Anschaffung, Wahl von Betriebssystemen, Kompatibilität von Software, Wartung, Modernisierungszyklen, …)

1 ADJEKTIVE UND PARTIZIPIEN – PRIVATDETEKTIV MEIERHOFF

a)   Ergänzen Sie die Artikelwörter und die Adjektivendungen. Manche Lücken bleiben leer (/).

(1) D*er* erfolglos*e* Privatdetektiv Jonathan Meierhoff lenkte sein*en*

alt*en* rot*en* Sportwagen durch d*en* dicht*en* Stadtverkehr. (2) An

ein*er* rot*en* Ampel musste er anhalten. (3) Da sah er auf d*er*

ander*en* Straßenseite ein*en* Mann, der sofort seine Aufmerksamkeit

fesselte. (4) Jonathan wusste zuerst nicht, weshalb er den Mann mit so

groß*em* Interesse betrachtete. Doch plötzlich fiel es ihm auf: der Gang.

(5) Dies*en* wacklig*e*, leicht unsicher*e* Gang würde er aus tausend

anderen erkennen. Manni! (6) Das war sein*en* alt*er* Freund Manni.

(7) Jonathan stoppte den Wagen an d*er* nächst*en* Ecke und öffnete die Autotür. Er stieg aus und ging auf

Manni zu. (8) Kurz dachte Jonathan, Manni wollte wegrennen, doch dann erkannte dieser sein*en* alt*en*

Freund und ging auf ihn zu. (9) „Alter, wie siehst du denn aus?", fragte Jonathan d*em* Mann, dessen Schuhe

kaputt waren und dessen Mantel schmutzig war. (10) Dieser Mann, der nichts mehr mit d*em*

jung*en*, kräftig*en* Manni gemeinsam hatte, mit dem er vor viel*en* Jahren durch mehrer*e*

europäisch*e* Länder gereist war und mit dem er manch*es* aufregend*e* Abenteuer erlebt hatte.

(11) D*er* Geruch, den Mannis Kleidung verströmte, war schlimm, so als hätte er die Nacht in d*er*

Kanalisation verbracht.

„Jonathan! Du bist es! Kann ich dir vertrauen? Sie verfolgen mich. Kannst du mich mitnehmen? (12) Kann ich bei

dir schlafen?", flüsterte d*er* alt*e*, offenbar sehr nervös*e* Freund. „Jetzt beruhig dich erstmal",

meinte Jonathan und brachte Manni zum Auto. (13) „Steig ein, wir drehen ein*e* klein*e* Runde! Und

dabei kannst du mir erzählen, was hier eigentlich los ist." (14) Mit ein*em* tief*en* Seufzer ließ sich Manni

in d*en* Sitz d*es* alt*en* Sportwagens fallen. Jonathan startete den Motor und die beiden Männer saßen

schweigend nebeneinander. Manni brach das Schweigen. „Was machst du eigentlich? (15) Als wir uns

d*as* letzt*e* Mal gesehen haben, hast du in dies*er* furchtbar*en* Kneipe gearbeitet. (16) Ich weiß

noch, wie unfreundlich dein Chef war und wie wenig Trinkgeld d*ie* Gäste dir gegeben haben."

„Ich bin jetzt Privatdetektiv", murmelte Jonathan. Er wusste, wie dämlich sich das anhören musste, aber

was hätte er auch sagen sollen? (17) Es war schließlich d*ie* rein*e* Wahrheit. „Privatdetektiv? (18) Bist

du gut? Dann kannst du mir vielleicht helfen. (19) Einig*e* bös*e* Leute sind hinter mir her.

(20) Dies*e* Menschen sind verrückt! (21) Sie verfolgen mich und mein*e* klein*e* Familie."

b)   Ergänzen Sie die Partizip-I-Attribute zu den Verben in Klammern. Achten Sie auf die passenden Endungen.

(1) Mit *fragendem* (fragen) Blick sah Jonathan zu seinem Freund hinüber. „Meinst du das ernst?"

(2) Manni krempelte den Ärmel seines *stinkenden* (stinken) Mantels hoch und zeigte

Jonathan eine **blutende** (bluten) Wunde. (3) „Du musst sofort ins Krankenhaus!", rief Jonathan

und hielt mit laut **quietschenden** (quietschen) Reifen an. (4) „Bitte nicht!", rief der* verängstigt

schauende (schauen) Manni und sah seinem Freund mit **flehendem** (flehen) Blick

ins Gesicht. (5) „Also gut", brummte der **sich** immer mehr **wundernde** (sich wundern)

Privatdetektiv. „Du kommst mit zu mir. (6) Meine **bezaubernde** (bezaubern) Ehefrau wird dir ein

dampfendes (dampfen) Bad bereiten und ein außerordentlich gut **schmeckendes**

(schmecken) Abendessen kochen. (7) Dann setzen wir uns bei einer Kanne **wohltuendem** (wohl-

tun) Kaffee auf meinen Balkon und rauchen eine **entspannende** (entspannen) Zigarette. Dabei

kannst du mir alles erzählen." „Du bist verheiratet?" Manni blickte Jonathan verblüfft an.

*Namen erhalten einen Artikel, wenn sie ein Linksattribut haben: *der ängstliche Manni*

c) Ergänzen Sie die Verben in Klammern in der passenden Form (ein Wort pro Lücke).

Jonathan lachte laut auf. „Hahaha! Nein! (1) Aber ich **habe gedacht** (denken), du brauchst eine

kleine Aufheiterung. (2) Nein, ich wohne immer noch allein in der kleinen Wohnung, die wir damals zusammen

eingerichtet haben (einrichten). (3) Das Haus **wurde verkauft** (ver-

kaufen), aber ich **habe** dem Vermieter einmal **geholfen** (helfen), deshalb **werde**

ich nicht **rausgeworfen** (rauswerfen), obwohl ich schon einige Male meine Miete nicht

gezahlt habe (zahlen)."

(4) Der Detektiv steuerte seinen Wagen in die Straße, in der die beiden vor vielen Jahren in einer WG

gewohnt habe (wohnen). Sie stiegen aus und betraten die Wohnung. (5) Nach-

dem sie ins Wohnzimmer **gegangen waren** (gehen) und sich aufs Sofa **gesetzt**

hatten (setzen), brach Jonathan das Schweigen: (6) „Du **hast gesagt** (sagen), dass du

verfolgt wirst (verfolgen). (7) Von wem **wirst** du **verfolgt** (verfolgen)? Und

warum?"

d) Markieren Sie im folgenden Textabschnitt Artikel, Nomen und Linksattribute mit Partizip wie im Beispiel.

(1) [Der] (ziemlich) unrasierte [Freund] blickte seinen alten Kumpel an. (2) Er klopfte sich ein wenig Staub aus

seinem zerrissenen Mantel und blickte zwischen dem ausgeschalteten Fernseher und der geschlossenen Tür

hin und her. (3) „Wo soll ich anfangen?" „Am besten, du fängst am Anfang an", sagte der inzwischen wieder

vom Sofa aufgestandene Meierhoff. (4) „Denk gut nach, ich hole uns mal zwei gut gekühlte Flaschen Bier."

(5) Nach zwei Minuten betrachtete der soeben aus der Küche zurückgekehrte Detektiv seinen eingeschlafenen

Freund. (6) „Na, dann schlaf gut, alter Junge", brummte er, legte dem schnarchenden Manni eine Decke über

die Schultern und nahm einen kräftigen Schluck aus der Bierflasche.

e) Wie geht die Geschichte weiter? Schreiben Sie sie zu Ende.

2   PARTIZIP I UND II – PROBLEME MIT DER SPÜLMASCHINE

Ergänzen Sie Partizip I oder Partizip II der Verben in Klammern mit der passenden Endung.

Nette Nachbarn

https://nettenachbarn-frageforum.de/

?

Frage
von Shirin Otto

Hey Leute,

ich habe ein Problem mit meiner vor drei Jahren _gekauften_ (1) (kaufen) Spülmaschine. Die Maschine funktioniert nicht mehr richtig. Das frisch _gespülte_ (2) (spülen) Geschirr hat weiße Flecken. Wer von euch kann helfen? ☺

!

Antwort
von Peter Bor

Hast du mal probiert, das _entnommene_ (3) (entnehmen) Geschirr unter _laufendem_ (4) (laufen) Wasser abzuspülen?

Antwort
von Shirin Otto

Ja, die Rückstände bleiben leider am _abgewaschenen_ (5) (abwaschen) Geschirr zurück.

!

Antwort
von Timo Zweigert

Zeigt das Display eine ~~bla~~ _blinkende_ (6) (blinken) Fehlermeldung?

Antwort
von Shirin Otto

Nein, ich sehe keine Fehlermeldung …

!

Antwort
von Mateo Moreno

Das klingt nach Kalkrückständen. Hast du mal in die _mitgelieferte_ (7) (mitliefern) Bedienungsanleitung geschaut? Oft sind die _ausgewählten_ (8) (auswählen) Einstellungen problematisch.

!

Antwort
von Monika Schell

… Oder das _eingefüllte_ (9) (einfüllen) Spülmittel ist das Problem. Nicht jedes Spülmittel funktioniert bei jeder Spülmaschine optimal.

!

Antwort
von Shirin Otto

Ich blättere also nochmal durch die Anleitung. Wenn ich da nichts finde, kaufe ich ein hoffentlich besser _funktionierendes_ (10) (funktionieren) Spülmittel.
Dank an meine _helfenden_ (11) (helfen) Nachbarn! ☺

---

1 UMWELTPROBLEME

Einige Schüler wurden über ihre größten Ängste und Sorgen in Bezug auf Natur- und Umweltbelastungen befragt. Lesen Sie die Aussagen der Schüler und lösen Sie das Kreuzworträtsel.

~~Abfall~~ ~~Artensterben~~ ~~Aussterben~~ ~~CO₂~~ ~~Dürre~~ Insekten ~~Klima~~ ~~nachhaltig~~ ~~Regenwald~~

1   „Mir macht das Sterben der _Insekten_ Sorgen. Bienen, Hummeln, Schmetterlinge – wenn man sich umschaut, sieht man, dass es Jahr für Jahr weniger werden."

2   „Der fehlende Regen im Sommer ist ein großes Problem. Die damit verbundene _Dürre_ lässt die Felder austrocknen, sodass es nichts zu ernten gibt."

3   „Jedes Jahr gibt es mehr Tiere, die vom _Aussterben_ bedroht sind. Auch viele unserer heimischen Vögel stehen inzwischen auf der Liste der bedrohten Tierarten."

4   „Wir Menschen produzieren durch unsere Lebensweise einfach zu viel _CO₂_ (Kohlendioxid)."

5   „Vielen Menschen gelingt es nicht, _nachhaltig_ _sustainable_ zu leben. Sie achten nicht auf ihren Energieverbrauch und verschwenden durch ihr Konsumverhalten natürliche Ressourcen."

6   „Mich macht wütend, wenn ich sehe, wie viel _Abfall_ einfach in der Natur entsorgt wird. Im Park habe ich letztens drei Plastiksäcke mit Müll gefunden. Was denken sich die Leute?"

7   „Ich mache mir über den Verlust von großen Waldflächen Sorgen. Überall vertrocknen und verbrennen Bäume, während im Amazonas weiterhin der _Regenwald_ abgeholzt wird. Das kann nicht gutgehen."

8   „Viele Tiere können ihren Lebensraum aufgrund des Klimawandels nicht mehr nutzen. Das _Artensterben_ nimmt rasant zu. Koalabären, Gorillas und Tiger wird es in 50 Jahren vielleicht nur noch im Zoo geben."

9   „Das _____ hat sich in den letzten Jahren drastisch verändert. Hier in Deutschland führt das zu warmen, nassen Sommern und zu Wintern mit viel Regen, aber ohne Schnee."

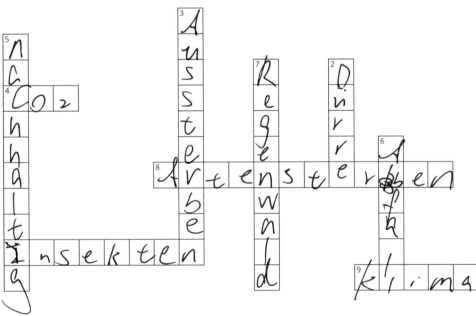

2   UMWELTAKTION

a)   Lesen Sie den Text und bearbeiten Sie die Aufgaben.

ZEHN JAHRE „UFFROMA": DIE AKTION ZEIGT WIRKUNG

Heute ist es wieder einmal so weit: Andreas zieht seine Gummistiefel, eine in die Jahre gekommene Regenjacke und seine zerrissene Jeans an. Dann macht er sich auf den Weg zum Na-
5 turjugendhaus.

Etwa 20 Jugendliche und eine Handvoll Erwachsene erwarten ihn bereits ungeduldig beim Haus am Waldrand. Sogar ein paar Kinder sind gekommen, um die Älteren beim diesjährigen Projekt zu unterstützen. Sie sind ausgerüstet mit Gummihandschuhen, festen Schuhen und gro-
10 ßen Müllsäcken. Andreas begrüßt die Anwesenden, er teilt sie in Gruppen auf. „Ihr geht den Lohweg entlang, ihr sucht am Johannisweg, die dritte Gruppe sucht die alte Bahnstrecke ab. Und ich gehe mit der vierten Gruppe an der Münchberger Straße entlang. Was ihr findet, könnt ihr in die Säcke stopfen und am Wegrand auf einen Haufen legen. Wir holen das Zeug dann später mit dem Pick-up ab. In vier Stunden treffen wir uns wieder hier, dann gibt es ein ordentliches Vesper*."

15 Und schon strömen die vier Gruppen in die unterschiedlichen Himmelsrichtungen und verschwinden in den Tiefen des Waldes. Sie sind ausgelassener Stimmung, scherzen, einige singen sogar ein Lied. Für die Kinder ist dies ein besonders aufregendes Erlebnis: Sie fühlen sich wie bei einer Schatzsuche. „Letztes Jahr haben wir sogar ein Bilderbuch und drei Puppen gefunden", berichtet Michel voller Stolz. Schon seit Tagen kreisen seine Gedanken um diesen Tag, dem er gespannt entgegenfieberte. Der Sie-
20 benjährige ist schon zum dritten Mal dabei. Kein Wunder, Andreas ist schließlich sein Vater.

„Uffroma" – das ist schwäbisch für *aufräumen* – nennt sich die jährliche Aktion, zu der die Naturjugend nun schon zum zehnten Mal einlädt. „Uffgeromt" wird dabei – wie es sich für die Naturjugend gehört – nichts anderes als die Natur selbst. Dabei ziehen die jungen Leute durch einen der umliegenden Wälder und sammeln Müll, den die Menschen dort gedankenlos weggeworfen haben. Und es ist erstaun-
25 lich, was sie dort alles finden: Natürlich gibt es haufenweise leere Getränkedosen, Lebensmittelverpackungen und Zigarettenschachteln. Manche Menschen werfen aber auch säckeweise ihren Hausmüll in die Natur, anstatt ihn fachgerecht zu entsorgen. Selbst Autoreifen, kaputte Fahrräder und Sondermüll wie Farben, Lacke und Batterien werden achtlos in die Natur geworfen.

„Da liegt was!", ruft Melike, das zwölfjährige Mädchen mit der grünen Winterjacke, stolz, so, als hätte
30 sie einen besonders wertvollen Schatz gefunden. Markus, einer der Erwachsenen, eilt herbei. Er kann kaum glauben, was er da sieht: Da liegt ein Kühlschrank im Wald, daneben eine Waschmaschine und einige Küchenmöbel. „Irgendjemand hat da seine Küche renoviert und die ganzen alten Sachen hierher in den Wald transportiert. Das ist nicht nur hässlich, sondern auch illegal und gefährlich. Außerdem wäre es doch viel einfacher, die Sachen einfach zum Wertstoffhof zu bringen. Dort ist die Entsor-
35 gung kostenlos und legal. Und es ist doch auch viel einfacher, die alten Geräte dorthin zu bringen als sie umständlich in die Natur zu transportieren." Markus markiert den Fundort in einer App auf seinem Handy. So können die Mitarbeiter des Bauhofs den Müll später abholen.

Auch der Bürgermeister der kleinen Stadt ist schon fünf Jahre in Folge Teil der Crew. „Ich freue mich über die Initiative der Jugendlichen und packe gern mit an! Sie kümmern sich um ihre Umwelt und
40 räumen den Dreck auf, den die Erwachsenen verursachen. Eigentlich sollten sich die Erwachsenen schämen, die so etwas machen", sagt Ewald Schwarz. Die Mitarbeiter des städtischen Bauhofs haben am Montag die Aufgabe, den ganzen Müll auf ihre Autos zu laden und wegzubringen. Und wohin wird der ganze Müll verfrachtet?

*das Vesper = schwäbisch für *Abendbrot*

Dazu hat sich die Naturjugend zum zehnten Geburtstag der Müllsammelaktion etwas besonders Ori-
45 ginelles ausgedacht: Am Montag werden die gefundenen Sachen mitten auf dem Marktplatz zu einer
grässlichen Skulptur aufgestapelt. Dabei hilft Peter Oppmann, ein ortsansässiger Bildhauer, der hier
und da mit dem Schweißgerät für die notwendige Stabilität sorgt. Nach vier Stunden sind sie fertig.
Vier Meter hoch ragt das stinkende, hässliche Mülldenkmal in die Luft, eine Woche lang soll es dort
bleiben, um die Menschen zu ermahnen, ihren Müll nicht einfach in die Natur zu werfen. Am Samstag,
50 eine Woche nach dem Uffroma-Tag, gibt es dann ein kleines Fest, es gibt Musik und die Kinder tanzen
um das merkwürdige Gebilde. Doch das ist so manchem Bewohner der kleinen Stadt ein Dorn im
Auge: „Das sieht einfach hässlich aus und es stinkt. Es ist ja schön, dass die jungen Leute den Wald aufräumen, aber dann sollen sie den gefundenen Abfall auch wegschaffen und uns nicht hier vor die Nase
stellen", ruft Brigitte Schricker empört. Die ältere Passantin rümpft die Nase und geht schnell weiter.

55 Einen kleinen Erfolg kann die Naturjugend übrigens schon verbuchen: Ilyas Habib, der Vorsitzende
der Naturjugend, erzählt: „Die Leute reden über uns. Die Lokalzeitung, der regionale Radiosender und
selbst das Fernsehen waren schon da, um über die vorbildliche Aktion zu berichten. Seit einigen Jahren
finden wir immer weniger Müll im Wald, und das zeigt doch, dass die Leute heute bewusster entsorgen
und es sich zweimal überlegen, bevor sie ihren Müll illegal in den Wald schaffen."

60 Für manche Leute hat die illegale Abfallentsorgung allerdings auch ein juristisches Nachspiel, erzählt
Andreas. Vor zwei Jahren sind die Naturfreunde auf einen größeren illegalen Müllabladeplatz gestoßen. Dort lagen beschädigte Autoreifen, Altbatterien, defekte Elektrogeräte und unzählige andere Sachen. Und unter dem ganzen Müll fanden sie einen Karton mit Briefen und Postkarten. Der Name des
Empfängers war noch gut zu erkennen, die Person wurde angezeigt und zu einer hohen Geldstrafe
65 verurteilt. „So blöd muss man erstmal sein", schmunzelt der engagierte Naturschützer und hebt den
Blick zur Müllskulptur, auf deren Spitze ein altes Fahrrad steht.

1   Worum geht es in dem Text? Fassen Sie den Text zusammen.

2   Was bedeutet *uffroma*?

3   Wer sind die Personen im Text? Was erfahren Sie über die Personen?

Andreas:

Michel:

Melike:

Markus:

Ewald Schwarz:

Peter Oppmann:

Brigitte Schricker:

Ilyas Habib:

4 Was findet die Naturjugend alles? Unterstreichen Sie im Text.

5 Was bedeuten die folgenden Ausdrücke im Text?

1 in die Jahre gekommen (Z. 3)

A alt   **B** verfallen

2 ausgelassener Stimmung sein (Z. 16)

A munter und fröhlich sein   **B** witzig und lustig sein

3 jmdm./etw. entgegenfiebern (Z. 19)

A sich freuen auf + A   **B** entwerfen

4 ein Dorn im Auge sein (Z. 51–52)

A ein Ärgernis sein   **B** peinlich sein

5 einen Erfolg verbuchen (Z. 55)

A Man hatte Erfolg.   **B** Man hoffte auf Erfolg.

b) Wie müsste man die Sachen aus dem Text aus a) korrekt entsorgen? Recherchieren Sie im Internet und sortieren Sie dann die Gegenstände nach ihrer Entsorgungsart.

Gelbe Tonne	Restmüll	Altpapier	Sperrmüll	Rückgabe an Händler / Sammelstelle

3 PROJEKT PLANEN

a) Arbeiten Sie in Gruppen zu vier Personen. Denken Sie sich eine Umweltschutzaktion aus (z. B. Schüler organisieren ein Fest, um eine Solaranlage für ihre Schule zu finanzieren). Präsentieren Sie Ihre Aktion im Kurs.

b) Schreiben Sie einen journalistischen Text über Ihre Aktion. Orientieren Sie sich dabei am Text über *Uffroma*.

4 RELATIVSÄTZE – DEFINITIONEN

a) Schreiben Sie Definitionen für die folgenden Begriffe. Benutzen Sie Relativsätze wie im Beispiel.

Aluminium Auge Baumwolle Gold Haut Holz Luft Milch Salz ~~Sauerstoff~~

Sauerstoff ist ein Stoff, den man zum Leben braucht.

b) Ergänzen Sie zwei weitere Definitionen zu Begriffen Ihrer Wahl.

c) Bilden Sie Gruppen und lesen Sie Ihre Definitionen aus a) und b) in der Gruppe vor. Die anderen in der Gruppe raten, um welchen Begriff es sich handelt.

Es / Das ist ein Stoff, den man zum Leben braucht.

5 POLITISCHE TALKSHOW

a) Lesen Sie die folgenden Meinungen zum Klimawandel und klären Sie unbekannte Wörter. Hören Sie dann die Diskussion zum Thema *Schulboykott für die Umwelt*. In welcher Reihenfolge kommen die Statements in der Diskussion vor? Ergänzen Sie die Ziffern. Konzentrieren Sie sich beim Hören nur auf das Heraushören der Schlüsselwörter und ignorieren Sie unbekannte Wörter.

	A	Die Forschung ist nicht für die Umsetzung ihrer Ergebnisse verantwortlich.
	B	Klimaschutz könnte zum Verlust von Arbeitsplätzen führen.
	C	Arbeit und Geld sind sinnlos, wenn die Erde nicht mehr bewohnbar ist.
	D	Klimaschwankungen sind kein neues Phänomen.
	E	Klimaschutz kann Arbeitsplätze schaffen.
	F	Migrationsbewegungen sind eine Folge des Klimawandels.
1	G	Das Thema ist zu komplex für Jugendliche.
	H	Junge Menschen haben kein Vertrauen in die Politik.
	I	Die Ursachen für den Klimawandel sind nicht bewiesen.
	J	Geo-Engineering bietet eine Chance.
	K	Geo-Engineering kann auch eine Gefahr darstellen.

b) Bilden Sie Gruppen mit sechs Personen und verteilen Sie die Rollen. Lesen Sie die Aussagen Ihrer Rolle zunächst still. Schlagen Sie unbekannte Wörter im Wörterbuch nach und achten Sie vor allem auf die unterstrichenen Ausdrücke. Überlegen Sie sich außerdem die Wortakzente und die Satzmelodie. Lesen Sie dann in Ihrer Gruppe die Diskussion laut mit verteilten Rollen. Erklären Sie nach jedem Vorlesen eines Abschnitts den Inhalt des Gesagten in eigenen Worten.

Moderatorin: Herr Buchheim, Sie fordern die Demonstranten dazu auf, das Thema Klimaschutz den Experten zu überlassen. Ist das nicht eine etwas respektlose Weise, mit Jugendlichen zu sprechen, die sich Sorgen um die Zukunft der Erde machen?

Christof Buchheim: Da verstehen Sie mich falsch. Ich habe großen Respekt davor, wenn Jugendliche
5 sich politisch engagieren. Ich bin selbst als junger Mann in die Politik gegangen, um Dinge zu verändern. Aber auch ich bin kein Spezialist in allen politischen <u>Handlungsfeldern</u>. Gerade so ein komplexes Thema erfordert die Zusammenarbeit verschiedener Experten aus den unterschiedlichsten Fachrichtungen. Geographen, <u>Klimaforscher</u>, Physiker, Biologen, aber auch die Interessen der Landwirtschaft und der Industrie, allen voran der <u>Autoindustrie</u> und der <u>Energiewirtschaft</u>, müssen bei diesem Thema
10 gehört und berücksichtigt werden. Und, <u>bei allem gebotenen Respekt</u> vor dem Engagement der Jugend, ich glaube nicht, dass Schüler in der Lage sind, all diese wissenschaftlichen, ökonomischen und politischen Aspekte zu überblicken.

Moderatorin: Frau Taubner, was antworten Sie Herrn Buchheim?

Gundula Taubner: Ich glaube, Herr Buchheim <u>erkennt</u> nicht <u>den Ernst der Lage</u>. Seit Jahrzehnten ist
15 bekannt, welche Folgen der Treibhauseffekt hat. Und was ist passiert? Nichts. Der CO_2-Ausstoß steigt weiter an und die Politik und die Wirtschaft tun nichts. Die Wirtschaft argumentiert mit Arbeitsplätzen, die Politik sagt, dass das Wirtschaftswachstum notwendig sei, aber was nützen uns Geld und Arbeit, wenn das Leben auf der Erde nicht mehr möglich ist?

Angelika Birkenbinder: Jetzt <u>dramatisieren</u> Sie aber! Es hat schon immer <u>Klimaschwankungen</u> gege-
20 ben, so lange die Erde besteht. Es gab Eiszeiten und Warmzeiten, und vielleicht sind wir jetzt wieder
auf dem Weg in eine wärmere Periode der <u>Erdgeschichte</u>. Ob die Lebensweise des Menschen etwas
damit zu tun hat, das bezweifle ich stark. Es gibt keinen wissenschaftlichen Beweis für diese These.

Hubert Lang: Frau Birkenbinder, ich muss hier kurz einhaken. Der Klimawandel selbst ist nicht umstritten! Es gibt ihn. Ich muss Ihnen aber zumindest teilweise recht geben: Es gibt tatsächlich keinen
25 <u>unschlagbaren Beweis</u> dafür, dass der Klimawandel allein auf das Verhalten der Menschheit <u>zurück-
zuführen ist</u>. Hier könnten in der Tat verschiedene Aspekte eine Rolle spielen. Es ist jedoch <u>unstrittig</u>,
dass eine erhöhte CO_2-Konzentration in der Atmosphäre zu einer Aufheizung der Erde führt. Und es
<u>wird auch nicht bezweifelt</u>, dass seit Mitte des 19. Jahrhunderts immer mehr Treibhausgase in die
Atmosphäre gelangt sind – durch den Menschen. Ein kausaler Zusammenhang <u>liegt</u> also äußerst <u>nah</u>.

30 **Moderatorin:** Herr Schweiler, was entgegnen Sie Herrn Prof. Dr. Lang?

Ludwig Schweiler: Natürlich müssen wir <u>alles daransetzen</u>, den Klimawandel zu stoppen. Ich bin aber
nicht dafür, jetzt überstürzt zu handeln. Wir müssen gut überlegen, welche Schritte wir unternehmen
wollen, und wir müssen dabei die Interessen vieler Gruppen berücksichtigen. Was nützt es uns, wenn
wir Steuern auf Abgase und Kerosin erheben und so vielleicht einen kleinen Beitrag leisten, wenn
35 aber die Wirtschaft so unter diesen Maßnahmen <u>zu leiden hätte</u>, dass wir am Ende nicht mehr <u>wett-
bewerbsfähig</u> wären? Das hätte zur Folge, dass massiv Arbeitsplätze verloren gehen würden. Und das
kann ja schließlich auch niemand wollen.

Christof Buchheim: Bei allen politischen Differenzen auf anderen Gebieten, hier muss ich Ihnen aus-
nahmsweise recht geben.

40 **Hubert Lang:** Wenn ich hier aus der Perspektive der Wissenschaft noch einmal einhaken darf: Ein
Zusammenhang zwischen Klimaschutz und Arbeitslosigkeit ist keinesfalls bewiesen. Wenn Sie schon
immer darauf hinweisen, dass Argumente stichhaltig belegt werden müssen, dann bitte ich Sie, dies
auch selbst zu tun. Es ist durchaus möglich, dass gerade der Klimaschutz eine Vielzahl von Arbeitsplätzen schaffen könnte. In der Industrie, im <u>Transportwesen</u> und in der Landwirtschaft.

45 **Angelika Birkenbinder:** Ich sehe schon, Sie haben sich von den <u>Sentimentalitäten</u> der Jugendlichen
auch schon beeinflussen lassen!

Gundula Taubner: Sentimentalitäten? Gut, nennen Sie es sentimental, wenn ich mich dafür einsetze,
das Leben auf der Erde zu schützen. Aber ich muss noch hier leben, wenn Sie und Ihre Politikerkolle-
gen längst nicht mehr da sind. Ich möchte auch in 50 Jahren noch genug Trinkwasser, Essen und fri-
50 sche Luft zum Atmen haben. Ihnen sind Geld und Macht wichtiger als das Überleben der Menschheit.
Und Sie wundern sich, dass junge Menschen kein Vertrauen mehr in die Politik haben?

Angelika Birkenbinder: Also ich bitte Sie!

Moderatorin: Lassen Sie uns zu einem weiteren Aspekt des Klimawandels kommen. Egal, was die
Gründe für die Erderwärmung sind, es ist klar, dass es zu großen <u>Fluchtbewegungen</u> aus den Regionen
55 Afrikas und Südostasiens kommen wird, weil die Menschen wegen der extremen Trockenheit nicht
mehr ernten können oder weil ihr Lebensraum durch Überschwemmungen bedroht ist. 60 Millionen
Menschen sind bereits jetzt auf der Flucht. Das <u>Institut für Klimafolgenforschung</u> hat berechnet, dass
sich diese Zahl in den nächsten Jahren vervielfachen könnte. Wie sollen die Industrieländer reagieren,
wenn Millionen von Menschen auf der Flucht vor Hunger und Armut nach Europa oder in die Vereinig-
60 ten Staaten einwandern wollen?

Ludwig Schweiler: Wir müssen natürlich versuchen, die <u>Fluchtursachen</u> zu bekämpfen, mit <u>Entwicklungshilfe</u> oder mit neuen <u>Pflanzensorten</u>, die besser mit Trockenheit umgehen können, aber auch mit großtechnischen Entwicklungen. Die Möglichkeiten des sogenannten *Geo-Engineering* <u>stecken noch in</u> <u>den Kinderschuhen</u>. Hier müssen wir aktiv werden und auch bereit sein, Geld zu investieren. Ich hoffe
65 stark, dass die Wissenschaft hier bald Lösungen anbieten wird.

Christof Buchheim: Das ist ein gutes Stichwort, Herr Schweiler. Wir müssen mehr Vertrauen in die Wirtschaft und die Forschung haben.

Gundula Taubner: Wir sehen doch, wozu dieses Vertrauen geführt hat! Die Natur geht kaputt! Die Zukunft der Menschheit ist in Gefahr, und die Wirtschaft und die Wissenschaft haben bisher nur dazu
70 beigetragen, das alles noch schlimmer zu machen!

Hubert Lang: Ich kann Sie <u>ein Stück weit</u> beruhigen, Frau Taubner. Die Wissenschaft arbeitet grundsätzlich erst einmal <u>ergebnisoffen</u> und veröffentlicht ihre Ergebnisse. Was die <u>Entscheidungsträger</u> in Wirtschaft und Politik daraus machen, liegt nicht in unserer Hand. Allerdings weisen wir seit Jahren darauf hin, dass die Klimaveränderungen durchaus <u>besorgniserregend</u> sind und dass es starke Hinweise
75 darauf gibt, dass diese Veränderungen zu einem großen Teil durch den Menschen selbst verursacht wurden. Zum Thema Geo-Engineering gebe ich allerdings zu bedenken, dass die Folgen solcher Eingriffe noch nicht ausreichend erforscht sind. Es könnte dazu führen, dass wir mit solchen technischen Eingriffen in die Natur alles noch viel schlimmer machen.

 c) Bleiben Sie in Ihrer Rolle und führen Sie die Diskussion fort. Bereiten Sie dazu vorab stichwortartig Argumente vor. Versuchen Sie, Ausdrücke und Redemittel aus der Diskussion noch einmal zu verwenden. Beachten Sie in der Rolle des Moderators auch die Redemittel zur Moderation einer Diskussion.

→ KB 31, 9

6 PARTIZIP I – VON LINKS NACH RECHTS

Markieren Sie in den folgenden Sätzen aus „Privatdetektiv Meierhoff" (Vorübung 1) Artikel, Nomen und Partizip-I-Attribute wie im Beispiel und klammern Sie ggf. die Erweiterungen des Partizips ein. Formen Sie die markierten Satzteile mit Partizip-I-Attributen dann in Relativsätze um.

(1) Manni krempelte die Ärmel [seines] stinkenden [Mantels] hoch und zeigte Jonathan **eine blutende**

Wunde. (2) „Du musst ins Krankenhaus!", rief Jonathan. „Bitte nicht!", rief **der verängstigt schauende Manni.**

(3) „Also gut", brummte **der sich immer mehr wundernde Privatdetektiv**. (4) „Meine bezaubernde Ehefrau

wird dir ein dampfendes Bad bereiten und **ein außerordentlich gut schmeckendes Abendessen** kochen.

Dann setzen wir uns bei einer Kanne wohltuendem Kaffee auf meinen Balkon und rauchen eine entspannende Zigarette. Dabei kannst du mir alles erzählen."

7 VERBEN MIT PRÄPOSITIONEN

Setzen Sie Präpositionen und Pronominaladverbien in die Sätze ein und ergänzen Sie die Endungen.

aus (2x) bei darum davon davor gegen nach über um (2x) vom von

1   Im Text geht es _____ d____ Einfluss von Gefühlen auf unsere Entscheidungen.

2   Im Text geht es _____, wie Gefühle unsere Entscheidungen beeinflussen.

3   Der Text handelt _____ d____ Auswirkungen des Klimawandels auf unseren Planeten.

4   Der Text handelt _____, wie sich der Klimawandel auf unseren Planeten auswirkt.

5   _____ d____ Text handelt es sich _____ ein____ wissenschaftlichen Artikel.

6   Der Autor berichtet _____ ein____ Forschungsreise in die Arktis.

7   Die Autorin warnt _____, den Klimawandel zu unterschätzen, und wendet sich _____

    die Nutzung fossiler Energieträger wie Kohle und Öl.

8   Wissenschaftler fragen _____ Beweisen für die These.

9   Die Daten stammen _____ Statistischen Bundesamt.

10 Die Daten stammen _____ d____ Jahr 2020.

11 _____ d____ Grafik ist zu ersehen, dass die mittlere Temperatur immer weiter ansteigt.

8 PARTIZIP II – VON LINKS NACH RECHTS

Formen Sie die markierten Satzteile mit Partizip-II-Attributen aus „Privatdetektiv Meierhoff" (Vorübung 1) in Relativsätze um.

(1) **Der ziemlich unrasierte Freund** blickte seinen alten Kumpel an. (2) Er klopfte sich ein wenig Staub **aus**

_____

seinem zerrissenen Mantel und blickte **zwischen dem ausgeschalteten Fernseher** und **der geschlossenen**

_____

Tür hin und her. (3) „Wo soll ich anfangen?" „Am besten, du fängst am Anfang an", sagte **der inzwischen wie**

_____

der vom Sofa aufgestandene Meierhoff. (4) „Denk gut nach, ich hole uns mal **zwei gut gekühlte Flaschen**

_____

Bier." (5) Nach zwei Minuten betrachtete **der soeben aus der Küche zurückgekehrte Detektiv seinen einge-**

_____

schlafenen Freund. „Na, dann schlaf gut, alter Junge", brummte er, legte dem schnarchenden Manni eine

_____

Decke über die Schultern und nahm einen kräftigen Schluck aus der Bierflasche.

9 MODALES PARTIZIP – BILDUNG

Bilden Sie Sätze mit dem Passiversatz *sein* + *zu*-Infinitiv und schreiben Sie dann das Nomen mit modalem Partizip wie im Beispiel.

1 Das Problem muss unbedingt gelöst werden.

> *Das Problem ist unbedingt zu lösen. / das unbedingt zu lösende Problem*

2 Das Auto kann problemlos repariert werden.

3 Die Aufgaben dürfen keinesfalls unterschätzt werden.

4 Die Rechnung muss innerhalb der nächsten vier Wochen bezahlt werden.

5 Man kann diesen Vorschlag unmöglich annehmen.

6 Diskussionen über Politik sollen möglichst vermieden werden.

10 MODALES PARTIZIP – TIN LIZZY

a) Lesen Sie den Text und bearbeiten Sie die Aufgabe.

Die Tin Lizzy, das Modell T des Autoherstellers Ford, war bis 1972 das meistverkaufte Auto der Welt. Die Tin Lizzy war ein Auto, wie man es sich heute kaum mehr vorstellen kann. Ford legte dabei besonderen Wert auf ein (leicht) zu bedienendes Getriebe.

5 Wegen der strikt einzuhaltenden Fertigungstoleranzen und der strengen Qualitätskontrolle war das Auto außerdem zuverlässig und solide, dazu billig in der Anschaffung und im Unterhalt, sowie extrem wartungsarm. All das waren nicht zu unterschätzende Vorteile gegenüber der Konkurrenz, deren Wagen zwar durchaus luxuriös ausgestattet waren, aber eben auch leicht kaputtgehen konnten. Nicht so die Tin Lizzy. Und selbst wenn: Zu ersetzende Teile bekam man

10 problemlos im Laden an der Ecke, die Reparatur konnte jeder Schmied durchführen.

Richtig oder falsch? Kreuzen Sie an.

R	**F**	1	Die Tin Lizzy ist das Auto, das weltweit am häufigsten verkauft wurde.
R	**F**	2	Luxuriösere Autos anderer Marken mussten häufiger als die Tin Lizzy zur Reparatur in die Werkstatt.
R	**F**	3	Ersatzteile für die Reparatur der Tin Lizzy waren schwer erhältlich.

b) Markieren Sie im Text aus a) modale Partizipien wie im Beispiel. Formen Sie die Sätze mit modalen Partizipien dann in Hauptsätze mit Relativsätzen um.

11 MODALES PARTIZIP – VON LINKS NACH RECHTS

a) Formen Sie die modalen Partizipien in Relativsätze mit dem passenden Modalverb um.

> **Auszüge aus einer Bedienungsanleitung**
> (1) Wegen der nicht zu unterschätzenden Gefahr eines elektrischen Schlages ist das Gerät vor der Reinigung unbedingt vom Strom zu trennen.
> (2) Bitte halten Sie das zu reinigende Gerät niemals unter fließendes Wasser.
> (3) Achten Sie auf den stets einzuhaltenden Sicherheitsabstand.
> (4) Das auch als Bohrmaschine zu verwendende Gerät hat einen Funktionsumschalter.
> (5) Der mittels einer Schraube leicht zu befestigende und zu lösende Staubfangbehälter ist gegen Aufpreis im Handel erhältlich.

1

2

3

4

5

b) Um welches Gerät könnte es sich handeln? Was vermuten Sie?

12 ERDBEBEN

a) Lesen Sie den Text aus einem Wissenschaftsmagazin und ergänzen Sie die Informationen unten.

Erdbeben entstehen aufgrund von Verschiebungen der sich permanent bewegenden Erdoberfläche. Diese Bewegungen führen schließlich zu einem mit Seismografen[1] zu messenden Bruch der Oberfläche. Ein solcher, meist explosionsartig erfol-
5 gender Bruch tritt häufig dort auf, wo verschiedene Erdplatten aufeinandertreffen, also in von Geologen „tektonische Plattenränder" genannten Regionen. In diesen Gebieten reiben die seit Millionen von Jahren auf der Erdoberfläche „schwimmenden" Kontinentalplatten aneinander. Die geologisch aktivste Zone ist der sogenannte Ring aus Feuer rund um den Pazifischen Ozean.

[1]der Seismograf, -en = Gerät, das Erschütterungen im Boden misst

10 Erdbeben führen zu großräumig auftretenden Schwankungen des Erdbodens. Der als Hypozentrum bezeichnete Ausgangsort eines Bebens befindet sich dabei entweder direkt unter der Erdoberfläche oder mehrere Kilometer darunter. Das sich auf der Erdoberfläche befindende Zentrum des Erdbebens wird Epizentrum genannt. Für die Berechnung der Erdbebenstärke misst man nicht die bei einem Beben freigesetzte Energie, sondern die Größe des Bruchs und die Stärke der Bodenbewegung. Bei der
15 Berechnung hat die sog. Magnitudenskala[2] die nach dem US-Wissenschaftler Charles Richter benannte Richterskala ersetzt, weil es sich bei Letzterer um eine für starke Beben ungeeignete Messmethode handelt. Das stärkste je aufgetretene Erdbeben war das Erdbeben von Valdivia, Chile, im Jahr 1960 mit einer Magnitude von 9,5. Die Erhöhung der vor dem Komma stehenden Zahl um 1 bedeutet, dass das Beben zehnmal so stark ist. Ein mit 5,0 gemessenes Erdbeben ist demnach zehnmal so stark wie eines
20 mit 4,0. Weltweit treten jährlich etwa 50 000 meist kaum zu bemerkende Beben der Stärke 3 bis 4 auf.

[2]die Magnitude, -n = Größenmaß für die Stärke von Erdbeben

1 Ursache für Erdbeben: ⟶

2 Was sind Hypozentrum und Epizentrum?

Hypozentrum:

Epizentrum:

3 Was sagt die Magnitude über ein Erdbeben aus?

Sie gibt an, und .

4 Wie viel stärker ist ein Erdbeben der Stärke 9,5 als ein Erdbeben der Stärke 5,0?

b) Der Text ist ein Beispiel für wissenschaftssprachliche Textsorten. Lesen Sie den Text noch einmal und beschreiben Sie seinen Schreibstil. Woran erkennt man den wissenschaftssprachlichen Stil?

c) Schreiben Sie den Text neu in Ihr Heft. Vereinfachen Sie ihn dabei, indem Sie die Linksattribute zu Relativsätzen umformen. Vergleichen Sie anschließend die beiden Texte. Welcher Text ist einfacher zu verstehen?

d) Fassen Sie den Text mündlich zusammen. Nehmen Sie Ihre Zusammenfassung dazu mit dem Handy auf und spielen Sie sie Ihrem Partner vor. Hören Sie auch seine Textzusammenfassung. Vergleichen Sie. Sind die wichtigsten Informationen enthalten? Ist die Zusammenfassung sprachlich richtig? Geben Sie einander Feedback.

13 WAS HAT DIE BESSERE ÖKOBILANZ?

a) Sehen Sie sich die folgenden Bilderpaare an und überlegen Sie, welches der beiden Dinge vermutlich eine bessere CO_2-Bilanz* hat. Kreuzen Sie Ihre Vermutung an.

*Die **CO_2-Bilanz** zeigt an, wie viel Kohlendioxid und andere Treibhausgase durch z. B. die Herstellung und den Verkauf von Produkten verursacht werden.
Je höher die CO_2-Bilanz eines Produkts, desto schädlicher ist dieses Produkt für das Klima. Bei der **Ökobilanz** werden über die CO_2-Emission hinaus weitere Umweltfaktoren betrachtet.

A Margarine (pflanzlich) **B** Butter (aus Kuhmilch)

A Reis **B** Nudeln

A künstlicher Weihnachtsbaum **B** echter Weihnachtsbaum

A Wein **B** Bier

b) Vergleichen Sie Ihre Ergebnisse mit denen Ihres Partners und erarbeiten Sie gemeinsam Kriterien, um die CO_2-Bilanz von Produkten beurteilen zu können. Formulieren Sie dazu Fragen wie im Beispiel.

Wo wird das Produkt angebaut?
Wie weit ...?

c) Lesen Sie den folgenden Text und vergleichen Sie die Ergebnisse mit Ihren Vermutungen aus a). Welches Produkt ist tatsächlich der größere Klimasünder?

> Viele Klimasünden in unserer Umgebung sind ziemlich offensichtlich: Der riesige SUV* für einen Einpersonenhaushalt, frische Erdbeeren im Winter, Kohlekraftwerke mit ihren schwarzen Rauchsäulen, häufige Flugreisen für kurze Strecken. Doch manche Klimakiller erkennt man erst auf den zweiten Blick, wie die folgende Gegenüberstellung zeigt.
>
> 5 **Butter vs. Margarine**
> Viele Deutsche scheuen sich davor, die Butter auf ihrem Brot durch Pflanzenmargarine zu ersetzen. Weit verbreitet ist der Glaube, dass Margarine im Gegensatz zu Butter stark verarbeitet und damit ungesünder ist. Die Klimabilanz beider Produkte spricht hingegen eine andere Sprache. Während bei der Herstellung eines Kilogramms Butter 23,80 Kilo CO_2 verbraucht werden, benötigt die Herstellung
> 10 von Margarine nur 1,35 Kilo CO_2. Gründe für die schlechte Ökobilanz von Butter liegen vor allem in der hohen Menge an Treibhausgasen, die bei der Haltung von Milchkühen anfallen.
>
> **Reis vs. Nudeln**
> Sowohl Reis als auch Nudeln sind hierzulande beliebte Beilagen. Schaut man sich ihre Ökobilanz an, haben die Nudeln eindeutig die Nase vorn, denn beim Anbau von Reis entsteht Methangas, das die
> 15 Erdatmosphäre stark belastet und etwa 25 Mal so stark wirkt wie Kohlendioxid. Produziert wird dieses Treibhausgas durch Mikroorganismen, die im Schlamm der überfluteten Reisfelder organisches Material abbauen. Auch der Export von Reis aus den Anbaugebieten in Süd- und Ostasien in die restlichen Teile der Welt trägt weiter zu seiner schlechten Klimabilanz bei.
>
> **künstlicher vs. echter Weihnachtsbaum**
> 20 Mehr und mehr Menschen sind in den letzten Jahren dazu übergegangen, sich an Weihnachten einen künstlichen Weihnachtsbaum ins Wohnzimmer zu stellen. Die Baumimitate werden den echten Weihnachtsbäumen immer ähnlicher, mit bloßem Auge lässt sich oft kein Unterschied mehr erkennen. Auf den ersten Blick ist es auch nachhaltiger, einen künstlichen Weihnachtsbaum zu schmücken, da man diesen jedes Jahr wiederverwenden kann. Führende Naturschutzorganisationen raten trotzdem
> 25 dazu, den echten Baum dem unechten vorzuziehen. Weihnachtsbäume brauchen etwa zehn Jahre zum Wachsen, bevor sie im weihnachtlichen Wohnzimmer landen. In dieser Zeit binden die eigens für den Verbrauch an Weihnachten angepflanzten Bäume eine große Menge an CO_2, was einen positiven Beitrag fürs Klima leistet.
>
> **Wein vs. Bier**
> 30 Wein aus Übersee ist bedeutend schlechter für das Klima als Bier aus Deutschland. Das liegt allein aufgrund der Transportkosten auf der Hand. Doch auch deutscher Wein hat eine schlechtere Klimabilanz als Bier. Ein Liter Wein erzeugt je nach Produktionsart 1–2 Kilogramm Kohlendioxid. Für die Produktion der gleichen Menge Bier werden etwa 300 Gramm verbraucht.

*SUV (Abkürzung für engl. *sport utility vehicle*) = Geländewagen

d) Wählen Sie eins der Themen und recherchieren Sie im Internet, wie gut oder schlecht die CO_2-Bilanz dieser Freizeitaktivitäten ausfällt. Schreiben Sie einen kurzen Text, indem Sie Ihre gesammelten Informationen zusammenfassen.

- Streaming
- Fußballspiel im Stadion
- Haltung von Haustieren
- Flugreisen vs. Bahnreisen
- Onlineshopping vs. Einkaufen im Ladengeschäft

1 RUND UM DEN HANDEL

a) Lesen Sie den Text und ergänzen Sie die passenden Wörter in der richtigen Form. Die Wörter können auch mehrfach vorkommen!

der Einzelhandel, / | ernten | der Erzeuger, - | das Geschäft, -e | die Haltbarkeit, / | herstellen | der Konsument, -en der Kunde, -n | die Lagerung (Pl selten) | das Produkt, -e | die Ressource, -n | verarbeiten | der Verbraucher, - die Verschwendung, -en | wachsen

Vom Feld auf den Teller

Ein leckeres, mit Käse oder Wurst und Salat belegtes Brot zum Frühstück ist für die meisten von uns eine Selbstverständlichkeit. Im Supermarkt findet der _____ (1) eine riesengroße Auswahl an verschiedenen Brotsorten, häufig bereits belegt und in Plastik verpackt. Doch woher kommt das _____ (2) eigentlich? Wer _____ es für die Supermärkte _____ (3)?

Brot _____ aus Getreide _____ (4). Und dieses Getreide _____ (5) auf den Feldern der Landwirte. Von den Landwirten, also den _____ (6), _____ es _____ (7) und weiterverkauft. Die _____ (8) der Körner geschieht in riesigen Getreidesilos.

Bevor das Brot beim _____ (9) landet, muss das Getreide _____ (10). Meist wird das Getreide in Mühlen gemahlen, bevor es dann vom Bäcker zu Brot _____ (11) wird.

Der _____ (12) kauft das fertige Brot dann im _____ (13) – beispielsweise direkt beim Bäcker oder im Supermarkt.

Auf den ersten Blick wirkt die Handelskette vom Feld auf den Teller unproblematisch. Doch durch die begrenzte _____ (14) von Getreideprodukten landen viele Brote im Abfall statt beim Konsumenten. Durch diese _____ (15) gehen wertvolle _____ (16) verloren.

b) Ergänzen Sie die Lücken mit den passenden Wörtern.

der Abfall, ¨e | entsorgen | sich ernähren | erwerben | der Händler, - | handeln mit | der Hersteller, - | der Käufer, - der Konsument, -en | lagern | das Nahrungsmittel, - | der Produzent, -en | etw. verbrauchen | die Ware, -n

1	der Erzeuger, -	= _____	6	kaufen	= _____
		= _____	7	aufbewahren	= _____
2	der Verkäufer, -	= _____	8	das Lebensmittel, -	= _____
3	verkaufen	= _____	9	wegwerfen	= _____
4	der Verbraucher, -	= _____	10	essen	= _____
		= _____	11	der Müll , /	= _____
5	das Produkt, -e	= _____	12	Rest übrig lassen	≠ _____

2 GRAFIKBESCHREIBUNG – FRÜHER VOGEL FÄNGT DEN WURM

a) Was bedeutet das Sprichwort *Der frühe Vogel fängt den Wurm*? Finden Sie, dass es stimmt? Begründen Sie.

b) Sehen Sie sich die Grafik an und ergänzen Sie die passenden Wörter in der richtigen Form in der Grafikbeschreibung. Einige Wörter passen nicht.

ansteigen | auf | bei | das Diagramm, -e | entnehmen | entwickeln | der Höhepunkt, -e | kontinuierlich | die Kurve, -n | leicht | liegen bei | mit | die Spitze, -n | ~~veröffentlichen~~ | zeigen | zunehmen

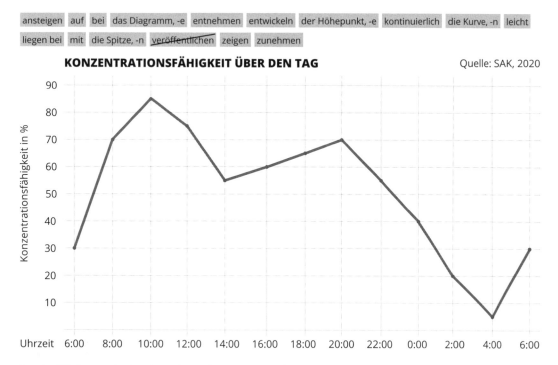

KONZENTRATIONSFÄHIGKEIT ÜBER DEN TAG

Quelle: SAK, 2020

Regelmäßig kommt in den deutschsprachigen Ländern die Diskussion um den Unterrichtsbeginn an Schulen auf. In Deutschland und Österreich startet der Schulunterricht in der Regel um 8:00 Uhr morgens, in der Schweiz oft sogar schon um 7:30 Uhr. Lehrer wie Schüler geben aber zur Auskunft, dass in den ersten zwei Schulstunden nur geringe Lernerfolge zu verzeichnen seien. Zieht man Untersuchungen zur Konzentrationsfähigkeit von Schülern heran, die 2020 vom SAK-Institut **veröffentlicht** (1) wurden, scheint sich diese Einschätzung nur teilweise zu bestätigen.

Die oben stehende Grafik _____ (2), wie sich die Konzentrationsleistung über den gesamten Tag hinweg _____ (3). Gegen 6:00 Uhr morgens _____ (4) die Kurve _____ (5) 30 Prozent. Bis 8:00 Uhr _____ (6) sie kontinuierlich auf 70 Prozent _____ (7), erreicht aber erst gegen 10:00 Uhr ihren _____ (8) bei 85 Prozent. Nach 10:00 Uhr lässt die Konzentration wieder nach, wie die _____ (9) zeigt: Sie sinkt bis 12:00 Uhr _____ (10) den Wert von 75 Prozent; bis 14:00 Uhr sogar auf nur noch 55 Prozent. Am späten Mittag bzw. frühen Nachmittag ist unsere Konzentration also nicht so gut. Dann steigt die Kurve noch einmal _____ (11) an; tatsächlich erreicht die Konzentration am Abend noch einmal ein Zwischenhoch _____ (12) 70 Prozent. Dann aber sinkt die Konzentrationsfähigkeit _____ (13) auf nur noch 5 Prozent in den frühen Morgenstunden. Besonders auffällig ist der Leistungsabfall zwischen 10 und 14 Uhr. Dieser könnte damit zusammenhängen, dass Schüler bis zu diesem Zeitpunkt schon einige Schulstunden hinter sich haben und eine Pause benötigen.

c) Fassen Sie die Hauptinformationen der Grafik ganz kurz mündlich zusammen. Nehmen Sie Ihre Zusammenfassung auf und schicken Sie sie Ihrem Partner. Geben Sie einander Feedback.

d) Was passt nicht in den Satz? Streichen Sie durch (ein Ausdruck pro Zeile).

1 Der Anteil an Studierenden erhöht sich / ist viel / steigt / vergrößert sich / wird größer .

2 Die Zahl der Innovationen senkt / sinkt / verringert sich / geht zurück .

3 Die Niederschlagsmenge hat sich halbiert / ist um die Hälfte kleiner geworden / wurde gehälftet .

4 Der Preis für Öl liegt bei / steht auf / stagniert bei / beträgt rund 60 US-Dollar/Barrel.

5 Bei der Grafik handelt es sich um ein Säulendiagramm / ein Balkendiagramm / ein Bilddiagramm / ein Kreisdiagramm / ein Tortendiagramm .

6 Gut ein Fünftel / ein Halbes / zwei Drittel / die Hälfte der Deutschen lehnt den Vorschlag ab.

3　WO STEHT DAS VERB?

Korrigieren Sie den Text. Prüfen Sie dazu jeweils, um welchen Satztyp es sich handelt und auf welcher Position die Verben bzw. Verbteile stehen müssten. Verschieben Sie sie, wenn nötig. Markieren Sie dies wie im Besispiel. An einer Stelle müssen Sie zusätzlich ein Komma streichen.

Vom Münzgeld zum Geldschein

Wie entstanden ist unser Geld? Zur Beantwortung dieser Frage, man muss weit

> *v. Chr. = vor Christus, vor Beginn unserer Zeitrechnung

in die Vergangenheit blicken zurück: Auf etwa 500 bis 700 v. Chr.* werden die

ältesten bekannten Münzen datiert, mit denen in China und Indien sowie im Mit-

5 telmeerraum wurde gezahlt. Aber diese Münzen waren in der Regel Einzelstücke, d. h. hatte einen unterschied-

lichen Wert jede, was vom Material oder auch dem Gewicht abhängig war. Die ersten standardisierten Münzen

> Eine Übersicht über wichtige Satzbauregeln und -tendenzen fnden Sie im digitalen Zusatzmaterial.

man hat verwendet im 7. Jahrhundert. v. Chr. in Griechenland. Papiergeld dagegen ist wesentlich jünger: Es

verwendet zuerst im 11. Jahrhundert in China wurde und war Ersatzzahlungs-

mittel, falls gab es zu wenig Münzen. Wurden in Europa Geldscheine erstmals

10 im Jahre 1483 eingeführt, und zwar in Spanien. Auch hier ersetzen sie sollten

das Münzgeld: Sie waren gewissermaßen ein schriftlicher Beleg dafür, wie viele Münzen noch gezahlt mussten

werden.

Und in Zukunft? Wir werden wie lange Bargeld verwenden? Wir haben Geldscheine länger als Münzen werden?

4 TEKAMOLO

a) Kreuzen Sie an, welche Sätze in der *tekamolo**-Reihenfolge stehen. Sind die anderen Sätze falsch? Überlegen Sie dann, welche der Sätze (A–E) für Sie natürlich und welche eher unnatürlich klingen.

***te**mporal – **ka**usal – **mo**dal – **lo**kal
tekamolo ist nur eine Tendenz! Bei der Aneinandereihung von Angaben kann auch eine andere Reihenfolge gewählt werden. Dies passiert vor allem, wenn bestimmte Angaben betont werden sollen, anonsten eher selten.

A   Eine Radfahrerin wurde gestern wegen einer blutenden Kopfwunde mit dem Hubschrauber ins Uniklinikum gebracht.

B   Wegen einer blutenden Kopfwunde wurde eine Radfahrerin gestern mit dem Hubschrauber ins Uniklinikum gebracht.

C   Gestern wurde eine Radfahrerin wegen einer blutenden Kopfwunde mit dem Hubschrauber ins Uniklinikum gebracht.

D   Mit dem Hubschrauber wurde gestern eine Radfahrerin wegen einer blutenden Kopfwunde ins Uniklinikum gebracht.

E   Mit dem Hubschrauber wurde wegen einer blutenden Kopfwunde gestern eine Radfahrerin ins Uniklinikum gebracht.

b) Ordnen Sie die Informationen zu.

am Mittag   am Unfallort   an der Unfallstelle   auf der A 4   aufgrund von zu hoher Geschwindigkeit   aus Neugier   bei dem Unfall   bei Düren   bei einem Interview   daraufhin   durch Gaffer*   extra langsam   extrem   gegen 6:00 Uhr   heute Morgen   in die Uniklinik   in Köln   in sozialen Netzwerken   intensiv   mit einem Hubschrauber   rund 15 Minuten danach   schließlich   schockiert   schon Minuten später   schwer   über Funk   umgehend   wegen des Unfalls   wegen seiner schweren Verletzungen   zeitweise

*der Gaffer, - (vom Verb *gaffen* = schamlos zusehen) = Menschen, die sich Notfälle ansehen und diese teilweise sogar filmen

temporal	kausal	modal	lokal

c)   Bilden Sie ganze Sätze im Präteritum. Beginnen Sie mit den unterstrichenen Ausdrücken auf Position 1. Überlegen Sie, ob es sich bei den Satzteilen um Verben, Subjekte, Objekte oder (adverbiale) Angaben handelt und ob Sie das Verb im Aktiv oder Passiv verwenden müssen. Oft sind mehrere Lösungen möglich.

1   es kommt / <u>heute Morgen</u> / zu einem Stau / wegen eines Unfalls / auf der A 4 / bei Düren

2   fahren / ein Pkw / gegen einen Brückenpfeiler /aufgrund von zu hoher Geschwindigkeit / <u>gegen 6:00 Uhr</u>

3   verletzen / der Fahrer des Pkws / schwer / <u>bei dem Unfall</u>

4   informieren / ein Busfahrer / <u>umgehend</u> / die Polizei / über Funk

5   eintreffen / Polizei und Rettungskräfte / <u>rund 15 Minuten danach</u> / an der Unfallstelle

6   sich kümmern / ein Notarzt / <u>am Unfallort</u> / um den Unfallfahrer / intensiv / daraufhin

7   behindern / <u>wieder einmal</u> / durch Gaffer / die Rettungskräfte / extrem

8   vorbeifahren / zahlreiche Autofahrer / <u>aus Neugier</u> / an der Unfallstelle / extra langsam

9   hochladen / Videos des Unfalls / <u>schon Minuten später</u> / in sozialen Netzwerken

10   sich stauen / der Verkehr / wegen des Unfalls / auf eine Länge von 10 Kilometern / <u>zeitweise</u>

11   einliefern / der verletzte Autofahrer / wegen seiner schweren Verletzungen / <u>schließlich</u> / in die Uniklinik / in Köln / mit einem Hubschrauber

12   reagieren / ein Sanitäter / <u>schockiert</u> / am Mittag / auf die veröffentlichten Videos / bei einem Interview

1 KAMPF GEGEN LEBENSMITTELVERSCHWENDUNG

 a) Arbeiten Sie zu zweit. Lesen Sie je einen Text, markieren Sie Schlüsselwörter und machen Sie sich Notizen. Bereiten Sie je einen Kurzvortrag (ca. 3 Minuten) vor, in dem Sie die Idee zur Vermeidung von Lebensmittelverschwendung vorstellen und erklären, wie die Idee funktioniert.Bereiten Sie außerdem drei Verständnisfragen für Ihren Partner vor, mit denen Sie nach Ihrem Vortrag überprüfen können, ob Ihr Partner Ihren Vortrag verstanden hat.

Text A

Warum kaufen Kunden kein krummes Gemüse?

...

Text B

Was ist eine Retter-Portion?

...

TEXT A: RETTER DES KRUMMEN GEMÜSES

Gurken müssen gerade sein, Karotten sollen orange leuchten, Zucchini dürfen eine bestimmte Größe nicht überschreiten? Das Aussehen von Obst und Gemüse ist für viele Konsumenten noch immer entscheidend beim Kauf. Kunden tendieren dazu, Gemüse, das von der Norm abweicht, im Supermarktregal liegen zu lassen. Aber genau das ist problematisch, denn es führt dazu, dass krumm gewachsenes Gemüse als Ernteabfall auf den Feldern liegen bleibt und dort verrottet*. Die Bauern ernten es nicht, weil sie es nicht an die Händler verkaufen können. Genau dieses Problem bekämpfen die Gründer der Krummes-Gemüse-Boxen. Sie kaufen bei den Bauern das Gemüse, welches nicht den optischen Anforderungen der Supermärkte entspricht, und verkaufen es dann an Verbraucher, denen das Aussehen ihres Gemüses egal ist. Das Gemüse wird in Boxen verpackt und direkt an die Verbraucher geliefert. Man bezahlt je nach Größe der Box zwischen 20 € und 35 € und bekommt dafür eine Wochenration gesundes Biogemüse nach Hause geliefert. Dadurch, dass das Gemüse nicht den Umweg über die Großhändler und Supermärkte macht, ist es schneller beim Kunden und somit frischer und länger haltbar als reguläres Gemüse.

*verrotten = verderben, schlecht werden

TEXT B: ZU GUT ZUM WEGWERFEN

In Cafés und Restaurants gehört es jeden Tag zum Alltagsgeschäft, dass fertig zubereitetes Essen, das eigentlich noch genießbar wäre, am Ende des Tages entsorgt wird. Der Grund dafür ist, dass von Restaurants und Cafés erwartet wird, dass die komplette Speiseauswahl bis zum Ladenschluss verfügbar ist. Lebensmittel, die beim Ladenschluss nicht verkauft wurden und aufgrund kurzer Haltbarkeit nicht gelagert werden können, werden weggeworfen. Das können schon fertig vorbereitete Salate, belegte Brötchen oder auch Sushi sein. Die Gründer von *Verschwendung, ade!* haben eine App entwickelt, die sich genau dieses Problems annimmt. Kunden können über die App mittels einer Karte Restaurants in ihrer Nähe finden, die kurz vor Ladenschluss sogenannte „Retter-Portionen" mit leckeren, aber nicht verkauften Resten des Restaurants zusammenstellen. Aber auch Privathaushalte können ihre Lebensmittelreste, die sie z. B. vor einem anstehenden Urlaub noch nicht aufgebraucht haben, über die App anbieten. Die Portionen können dann von den Kunden an den ausgewählten Standorten abgeholt werden. Die Portionen sind meist um ein Vielfaches günstiger als im regulären Verkauf oder werden sogar verschenkt. Das ist den Anbietern überlassen, denn so haben beide Seiten etwas davon. Neuerdings machen auch Supermärkte bei *Verschwendung, ade!* mit und bieten ihre frischen Lebensmittel, die am Ende des Tages in der Tonne landen würden, als Retter-Portionen an.

b) Halten Sie nun nacheinander Ihre Kurzvorträge. Nach dem Vortrag zu Text A kann Partner B Fragen stellen, falls er etwas nicht verstanden hat. Anschließend stellt Partner A seine drei Verständnisfragen und Partner B muss diese beantworten. Tauschen Sie anschließend die Rollen.

c) Sprechen Sie gemeinsam über die beiden Ideen. Die folgenden Fragen helfen Ihnen dabei.

- Wie finden Sie die Idee in Ihrem Text? Was denken Sie über die Idee, die Ihnen Ihr Partner vorgestellt hat?
- Gibt es solche Projekte auch in Ihrer Heimat?
- Würden die Ideen auch in Ihrer Heimat funktionieren?

2 NOMEN-VERB-VERBINDUNGEN

a) Ordnen Sie den Nomen-Verb-Verbindungen die passenden einfachen Verben zu.

1	eine Frage stellen	A	etw. ausdrücken
2	eine Antwort geben	B	etw. beantragen
3	Kritik üben	C	auf etw. (A) antworten / etw. beantworten
4	die Erlaubnis geben	D	zu etw. beitragen
5	einen Vortrag halten	E	etw. erlauben
6	ein Gespräch führen	F	etw./nach etw. fragen
7	einen Antrag stellen	G	jmdm. bei/mit etw. helfen
8	einen Beitrag leisten	H	etw. kritisieren
9	zum Ausdruck bringen	I	(jmdm.) etw./zu etw. raten
10	Abschied nehmen	J	(mit jmdm. über etw. (A)) sprechen
11	Hilfe leisten	K	sich von jmdm. verabschieden
12	einen Rat geben	L	etw. vortragen

1	2	3	4	5	6	7	8	9	10	11	12

b) Ergänzen Sie wie im Beispiel. Wählen Sie dazu je ein passendes Verb aus a). Manchmal brauchen Sie auch eine Präposition oder Negation. Manche Lücken bleiben leer (/).

1 Professor Müller hielt einen Vortrag zu seinen neuesten Ergebnissen.

   Professor Müller **trug** seine neuest**en** Ergebnisse **vor** .

2 Mit dem Vortrag wollte er einen Beitrag zur Umweltdebatte leisten.

   Mit dem Vortrag wollte er   Umweltdebatte   .

3 Die Studierenden stellten dem Professor Fragen zu seiner Meinung zum Klimawandel.

   Die Studierenden   d Professor   sein Meinung zum Klimawandel.

4 Der Professor gab den Studierenden geduldig Antworten auf ihre Fragen.

   Der Professor   den Studierenden geduldig   ihr Fragen.

5 Einige Studierende übten Kritik an seiner Theorie.

   Einige Studierende   sein Theorie.

6 Andere brachten ihr Unverständnis zum Ausdruck.

Andere [   ] ihr [   ] Unverständnis aus.

7 Der Professor gab die Erlaubnis, Teile des Vortrags im Internet zu veröffentlichen.

Der Professor [   ], Teile des Vortrags im Internet zu veröffentlichen.

8 Professor Müller führt gerne Gespräche mit seinen Studierenden.

Professor Müller [   ] gerne [   ] sein[ ] Studierenden.

9 Er gab ihnen den Rat, nicht nur im Internet zu recherchieren.

Er [   ] ihn[ ] da[ ], nicht nur im Internet zu recherchieren.

10 Ein Stipendiat wollte noch einen Antrag auf Verschiebung seiner mündlichen Prüfung stellen.

Ein Stipendiat wollte noch d[   ] Verschiebung seiner mündlichen Prüfung [   ].

11 Doch dabei konnte der Professor keine Hilfe leisten, denn dafür muss man sich an den Prüfungsausschuss wenden.

Doch da[   ] konnte der Professor ih[   ] [   ] [   ], denn dafür muss man sich an den Prüfungsausschuss wenden.

12 Schließlich nahm der Professor von den Studierenden Abschied.

Schließlich [   ] [   ] der Professor [   ] d[   ] Studierenden.

3 KONZEPTE BESCHREIBEN

Wählen Sie eine der beiden Aufgaben und schreiben Sie einen Text.

A

Entwickeln Sie eine eigene Idee, um Lebensmittelverschwendung vorzubeugen. Schreiben Sie darüber einen informativen Text und beantworten Sie dabei die folgenden Fragen.

- Was ist die Idee?
- Wie finanziert sich Ihre Idee?
- Für wen ist das von Vorteil?
- Hat die Idee auch Nachteile?

B

Informieren Sie sich im Internet über das Konzept von sog. Unverpacktläden, also Supermärkten ohne Plastikverpackungen. Schreiben Sie anschließend einen informativen Text darüber und beantworten Sie dabei die folgenden Fragen.

- Was ist das Konzept dieser Märkte?
- Welche Vorteile bieten die Läden?
- Gibt es auch Nachteile (z. B. Hygiene, Haltbarkeit)?
- Würden Sie in einem solchen Supermarkt einkaufen? Warum? Wer ist wahrscheinlich die Zielgruppe?

4 VON RECHTS NACH LINKS – RUND UM DEN BAU

a) Formen Sie die Relativsätze in Partizipialattribute (Partizip I oder Partizip II) um. Manchmal gibt es keine Lösung. Begründen Sie dann, warum.

1   Der Lkw-Fahrer, der Baumaterial zur Baustelle transportiert, verfährt sich.

2   Der junge Fahrer, dem geholfen wurde, bedankt sich für die Hilfe.

Nur bei intransitiven Verben, die das Perfekt mit *sein* bilden, kann das Partizip II als Linksattribut bzw. als Adjektiv verwendet werden.

3   Der Lieferwagen, der um die Ecke biegt, fährt zu schnell.

4   Die Temperatur, die zunimmt, ist ein großes Problem für die Arbeiter.

5   Die E-Mail, die nicht angekommen ist, war wichtig.

6   Der Ingenieur, der auf der Baustelle arbeitet, trägt einen Helm.

7   Der Chef, der das Containerbüro betritt, trägt keinen Helm.

8   Die Investoren, die seit einer Stunde erwartet werden, stehen im Stau.

9   Die Studierenden, die sich jeden Mittwoch treffen, machen bald ihren Abschluss in Bauingenieurwesen.

10 Die Zahl der Studierenden, die in den letzten Jahren stark zugenommen hat, liegt bei über 10 000.

11 Das Buch, das im Studium verwendet wird, wurde von erfahrenen Bauingenieurprofessoren geschrieben.

b) Formen Sie Schritt für Schritt um wie im Beispiel.

1   Man muss den Platz, den man bebauen will, gut auswählen.

(in Haupt- und Relativsatz: Aktiv → Passiv)

Der Platz, der bebaut werden soll, muss gut ausgewählt werden.

(Relativsatz → modales Partizip)

Der zu bebauende Platz muss gut ausgewählt werden.

(im Hauptsatz: Passiv mit Modalverb → Passiversatz)

Der zu bebauende Platz ist gut auszuwählen.

2   Man kann die Statik des Gebäudes, das man bauen will, mit dem Computer berechnen.

3   Man kann den Bauplan, den man präzise einhalten muss, mithilfe verschiedener Softwares erstellen.

4   Man sollte die Materialien, die man beim Bau verwenden möchte, vorher genau kontrollieren.

5   Man muss die Kosten des Bauwerks, das man errichten will, kontinuierlich prüfen.

6   Man kann kleine Fehler, die man beim Bau nicht vermeiden kann, noch korrigieren.

5   BELIEBTE FEHLER

Lesen Sie die Sätze und überprüfen Sie Satzbau und Zeichensetzung. Korrigieren Sie, wo nötig.

1   Nächste Woche, ich fahre in Urlaub.

2   Nächsten Monat, wenn die Prüfungen vorbei sind, mache ich eine lange Reise.

3   Allerdings, der Urlaub dauert nur fünf Tage.

4   Aber, es gibt so viele Sehenswürdigkeiten.

5   Sie haben einige Sehenswürdigkeiten besichtigt, zum Beispiel die Siegessäule.

6   Nach einem langen Tag auf der Arbeit mit vielen Anrufen und unerwarteten Problemen, er sehnte sich

    nach seinem Feierabend.

> falsche Kommasetzung
> und falscher Satzbau:
> ~~Heute, wir kamen
> leider zu spät.~~
>
> Heute **kamen** wir
> Pos. 1   **Pos. 2**   Pos. 3
> leider zu spät.

6 VON RECHTS NACH LINKS – LEBENSMITTELVERSCHWENDUNG

Markieren Sie Artikel, Nomen, Relativpronomen und Relativsatz wie im Beispiel. Formen Sie anschließend die Relativsätze in Linksattribute um.

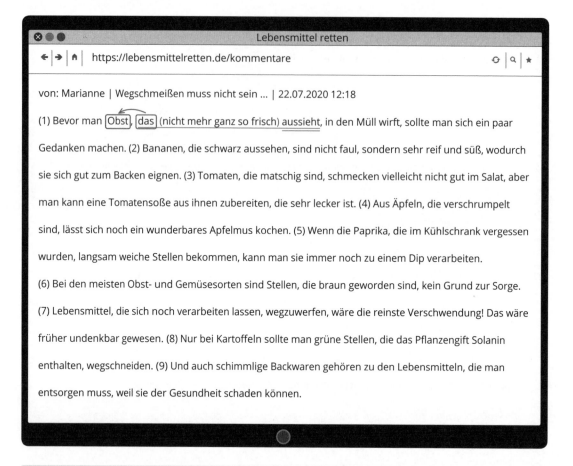

von: Marianne | Wegschmeißen muss nicht sein … | 22.07.2020 12:18

(1) Bevor man Obst, das (nicht mehr ganz so frisch) aussieht, in den Müll wirft, sollte man sich ein paar Gedanken machen. (2) Bananen, die schwarz aussehen, sind nicht faul, sondern sehr reif und süß, wodurch sie sich gut zum Backen eignen. (3) Tomaten, die matschig sind, schmecken vielleicht nicht gut im Salat, aber man kann eine Tomatensoße aus ihnen zubereiten, die sehr lecker ist. (4) Aus Äpfeln, die verschrumpelt sind, lässt sich noch ein wunderbares Apfelmus kochen. (5) Wenn die Paprika, die im Kühlschrank vergessen wurden, langsam weiche Stellen bekommen, kann man sie immer noch zu einem Dip verarbeiten.

(6) Bei den meisten Obst- und Gemüsesorten sind Stellen, die braun geworden sind, kein Grund zur Sorge.

(7) Lebensmittel, die sich noch verarbeiten lassen, wegzuwerfen, wäre die reinste Verschwendung! Das wäre früher undenkbar gewesen. (8) Nur bei Kartoffeln sollte man grüne Stellen, die das Pflanzengift Solanin enthalten, wegschneiden. (9) Und auch schimmlige Backwaren gehören zu den Lebensmitteln, die man entsorgen muss, weil sie der Gesundheit schaden können.

7 TIERWOHLLABELS

a) Was bedeutet *Tierwohl*? Sprechen Sie im Kurs.

b) Lesen Sie den Text und ordnen Sie anschließend die unterstrichenen Begriffe den Worterklärungen zu.

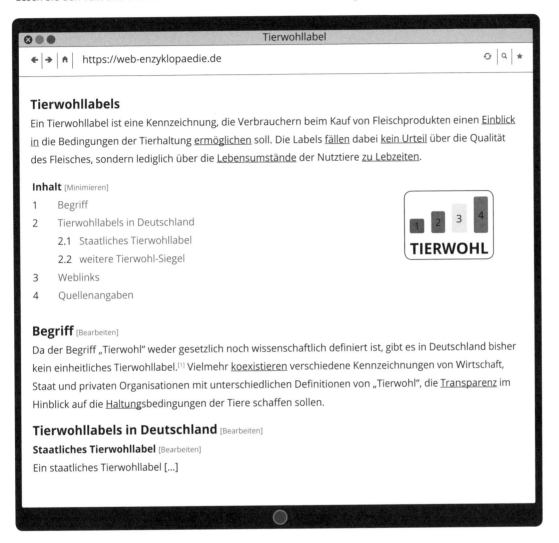

1   Einblick in etw. (A) ermöglichen   A   Offenheit; Vorgang ist auch von außen klar nachvollziehbar
2   ein Urteil fällen   B   hier: einem Außenstehenden wichtige Informationen geben
3   die Lebensumstände (Pl)   C   hier: in der Zeit, in der das Tier noch gelebt hat
4   zu Lebzeiten   D   nebeneinander existieren / vorhanden sein
5   koexistieren   E   die Bedingungen, unter denen gelebt werden muss
6   die Transparenz, /   F   hier: sich um Haus- oder Nutztiere kümmern
7   die Haltung   G   etw. beurteilen

1	2	3	4	5	6	7

c) Welche Aussagen treffen zu? Kreuzen Sie an.

1 Tierwohllabels geben an …

A wie das Tier gehalten worden ist.

B ob das Tier gesund war.

C ob das Fleisch hochwertig ist.

2 In Deutschland existieren unterschiedliche Tierwohllabels, weil …

A der Begriff *Tierwohl* keine Bedeutung hat.

B die Definition von *Tierwohl* unwissenschaftlich ist.

C es keine offiziell geltende Definition des Begriffs *Tierwohl* gibt.

d) Welche Tierwohllabels gibt es in Deutschland? Recherchieren Sie im Internet und stellen Sie ein Label Ihrer Wahl im Kurs vor. Beantworten Sie dabei die folgenden Fragen:
- Wie heißt das Label und wie sieht es aus?
- Wo findet man das Label?
- Worüber gibt es Auskunft?
- Worüber sagt es nichts aus?

8 FLEISCHKONSUM – EIN PODCASTINTERVIEW

a) Lesen Sie die Worterklärungen zum Interview.

Glossar zum Hörtext
- nachhaltig = ressourcenschonend
- artgerecht = ein Tier seiner Art gemäß halten; das Wohl eines Tieres berücksichtigen
- die Schweineherde, -n = größere, zusammengehörende Gruppe von Schweinen
- die Quelle, -n = etw., woraus man etw. anderes gewinnen kann, z. B. Arbeit als Einnahmequelle
- schlachten = ein Nutztier töten, um sein Fleisch für die Ernährung zu gewinnen
- der Lebendtransport, -e = hier: Transport von Tieren, die noch leben

b) Hören Sie Teil 1 eines Interviews. Über welche Themen wird im Interview gesprochen? Kreuzen Sie an.

A Persönliche Erfahrungen in Bezug auf Fleischkonsum

B Überlegungen zu artgerechter Tierhaltung

C Beeinflussung durch Werbung

D Gründe für den Erfolg seines Buches

c) Hören Sie Teil 1 des Interviews noch einmal und lesen Sie die beiden Zusammenfassungen. Welche der Aussagen gibt das Gesagte besser wieder? Kreuzen Sie an.

„Mein Kochbuch hat so viele Leser, weil die Leute meine Rezepte gern nachkochen. Ich esse gern Fleisch, so wie schon meine Mutter und mein Vater. Als ich auszog, ging ich täglich in den Supermarkt, um Fleisch zu kaufen. Die unterschiedlichen Haltungsformen interessierten mich dabei überhaupt nicht."

„Die Leser interessiert meine persönliche Geschichte hinter meinen Kochrezepten. Ich habe früher als Kind und als junger Erwachsener täglich Fleisch gegessen. Fleisch gehörte zu meinen Gerichten dazu. Zu diesem Zeitpunkt habe ich nicht über artgerechte Tierhaltung nachgedacht."

d) Hören Sie nun Teil 2 des Interviews und ergänzen Sie die fehlenden Informationen.

1   Nennen Sie drei Beispiele aus den Beobachtungen von Arno Weise, aus denen hervorgeht, dass Schweine einen eigenen Charakter haben.

   •   Manche Schweine waren

   •

   •

2   Welchen Nutzen hat die Farm durch die Schweinehaltung?

   •

   •

3   Wie erfolgt die Schlachtung der Schweine?

   Wo?

   Durch wen?

   Was wird dadurch vermieden?

e) Hören Sie Teil 2 noch einmal. Erklären Sie die folgenden Aussagen von Arno Weise in eigenen Worten:

1   „Ihr Verhalten wirkte teilweise fast menschlich."

2   „Das Fleisch der Schweine stellt eine der Hauptnahrungsquellen der Farm dar."

3   „Bevor das Schwein überhaupt realisiert, dass etwas anders ist als sonst, ist es schon tot."

f) Hören Sie nun Teil 3 des Interviews. Richtig oder falsch? Kreuzen Sie an. Hören Sie Teil 3 dann ein zweites Mal und überprüfen und ergänzen Sie Ihre Antworten.

R	F	1	Ein respektvoller Umgang mit den Tieren und die Fleischproduktion schließen sich aus.
R	F	2	Auch wenn Fleischproduzenten einen respektvollen Umgang mit den Tieren versprechen, können sich die Haltungsformen unterscheiden.
R	F	3	Arno Weise wollte sehen, wo die Tiere aufwachsen, die man im Supermarkt kauft.
R	F	4	Arno Weises Familie lebt inzwischen rein vegetarisch.
R	F	5	Der Bauer, den Arno Weise über eine Kollegin kennenlernte, schlachtete die Schweine nur für sich selbst.
R	F	6	Arno Weise und seine Kollegin kauften jeweils ein halbes Schwein bei dem Bauern.
R	F	7	Arno Weises Familie und Freunde waren von den neuen Rezepten begeistert.
R	F	8	Arno Weises Familie zählt inzwischen, wie viele Schweine für ihn geschlachtet werden.

g) Welche von Arno Weises Ansichten in Bezug auf Fleischkonsum finden Sie nachvollziehbar? Was denken Sie selbst über Fleischkonsum, Fleischproduktion und Haltungsformen? Sprechen Sie mit Ihrem Partner. Sie können dabei die folgenden Anregungen nutzen:

Ich kann verstehen / gar nicht nachvollziehen, dass ...
Meiner Meinung nach sollte Schlachtvieh ...
Ein halbes Schwein zu kaufen, halte ich für ...
Meine Eltern haben eine andere Meinung in Bezug auf Fleischkonsum, nämlich ...
Die Haltungsformen müssen sich dahingehend ändern, dass ...
Auf Fleisch zu verzichten, ist meiner Ansicht nach ...

9 NEGATION

a) Ergänzen Sie *nicht*, um den Satz zu negieren.

1 Die Geschäftsleitung akzeptiert den Streik der Angestellten. nicht

2 Die Arbeitgeber finden den Mindestlohn zu niedrig.

3 Beim Meeting stimmte das Management meinen Vorschlägen zu.

4 Weshalb überweisen Sie das Geld auf mein Privatkonto?

5 Ich kann mich diese Woche um diesen Auftrag kümmern.

6 Informieren Sie die Kunden über unsere günstigsten Tarife.

7 Ich werde nächstes Jahr wahrscheinlich mehr Geld verdienen.

8 Haben Sie unsere Rechnung erhalten?

9 Die Rücknahme der reduzierten Ware ist uns möglich.

10 30 Prozent der Angestellten werden wahrscheinlich entlassen.

11 Um die Filiale zu führen, verfügen Sie über genügend Kenntnisse.

b) Negieren Sie die Sätze mit den Negationen in Klammern.

> *nicht* kann mit weiteren Wörtern kombiniert werden, zum Beispiel:
> *leider nicht, überhaupt nicht, gar nicht, lieber nicht, besser nicht, noch nicht, wahrscheinlich nicht, nicht mehr*

1 Ich finde Ihre Geschäftsidee gut. (gar nicht) gar nicht

2 Der Onlinehändler schickt die Ware bis spätestens Freitag. (wahrscheinlich nicht)

3 Laut unseren Daten haben Sie den Betrag auf eines unserer Konten überwiesen. (noch nicht)

4 Wir sollten in fossile Energien investieren. (besser nicht)

5   Es ist aufgrund der wirtschaftlichen Lage sicher, dass das Geschäft Erfolg hat. (überhaupt nicht)

6   Eine pünktliche Lieferung der Ware können wir Ihnen versprechen. (leider nicht)

c)   Satznegation (S) oder Teilnegation (T)? Kreuzen Sie an.

S	T	1	Wir haben noch nicht über das Gehalt gesprochen.
S	T	2	Ich dachte, mein Job wäre interessant. Aber das ist er nicht.
S	T	3	Nicht die Angestellten dürfen entscheiden, sondern allein die Geschäftsleitung.
S	T	4	Ich kann Ihnen die Stelle leider nicht versprechen.
S	T	5	Den Job wird nicht Peter bekommen, sondern Paul.

d)   Welche Negation passt? Ergänzen Sie den Text. Passen Sie die Endungen an, wo nötig! Manche Lücken bleiben leer (/).

kein   niemand   nicht   nichts   ohne   weder … noch

(1) Viele Menschen glauben, dass Arbeitslose oft _____ Lust haben zu arbeiten. (2) Aber das stimmt meistens _____ . (3) In der Regel sind die Gründe dafür, dass jemand _____ Arbeit hat, _____ fehlendes Interesse _____ Faulheit. (4) Wer _____ Abschluss die Schule beendet, hat kaum gute Jobaussichten. (5) Manche jungen Leute erfahren zu Hause _____ Unterstützung beim Lernen, weil die Eltern selbst _____ lange _____ zur Schule gegangen sind. (6) Auch eine schwere Krankheit kann bewirken, dass man auf dem Arbeitsmarkt _____ guten _____ Chancen mehr hat. (7) Diese Arbeitslosen können in der Regel _____ für ihre Lage. (8) _____ sollte sie also verurteilen.

10   GAFFER

Im Stadtzentrum hat sich ein Autounfall ereignet, bei dem es Schwerverletzte gab. Rettungskräfte sind schon vor Ort, um zu helfen. Einige Fußgänger haben sich dort auch bereits versammelt und versperren der eintreffenden Polizei den Weg.
Bilden Sie drei Gruppen: Unfallbeteiligte, Gaffer und Polizei.

Gaffer: Beraten Sie sich kurz und überlegen Sie, welche Erklärungen Sie für Ihr Verhalten haben. Überlegen Sie sich auch, was Sie Polizei und Rettungskräften, die Sie vom Unfallort entfernen wollen, entgegnen können.

Polizei: Sie kommen an eine Unfallstelle, an der sich bereits viele Gaffer versammelt haben, die das Unfallgeschehen mit ihren Smartphones aufnehmen und alles ganz genau beobachten wollen. Überlegen Sie, wie Sie mit dieser Situation umgehen sollen. Beraten Sie sich auch, mit welchen Argumenten Sie die Gaffer von Ihrer Meinung überzeugen können.

Unfallbeteiligte (Täter und Opfer): Überlegen Sie sich, was genau passiert ist. Versetzen Sie sich in die Rolle der Unfallbeteiligten hinein. Wie fühlen Sie sich? Wie ist Ihre Einstellung gegenüber den Rettungskräften und wie gegenüber den Gaffern?

Spielen Sie jetzt die Szene an der Unfallstelle nach und diskutieren Sie.

11 UMFORMUNG VON LINKS- UND RECHTSATTRIBUTEN – WASSER

a) Formen Sie die unterstrichenen Relativsätze in Linksattribute um.

1 Wenn man an Lebensmittel denkt, die häufig verschwendet werden, denkt man meistens zunächst an Obst und Gemüse.

2 Doch an ein Lebensmittel, das überlebenswichtig ist, wird selten gedacht: Trinkwasser.

3 In Deutschland ist das Wasser, das zum Duschen und für die Toilettenspülung benutzt wird, ebenfalls Trinkwasser.

4 Das Wasser, das zuvor aufwendig gereinigt wurde, wird dadurch einfach zu einem Abfallprodukt.

5 Es gibt immer mehr Menschen, die sich über diese Verschwendung ärgern.

6 Sie verwenden deshalb für ihre Toilette Regenwasser, das von ihrem Dach heruntergelaufen ist.

7 Dieses Regenwasser, das sie in einer Regentonne gesammelt haben, ist allerdings kein Wasser, das zum Trinken oder Kochen genutzt werden kann.

b) Formen Sie die unterstrichenen Attribute um.

1 Statt das Leitungswasser, das in Deutschland sehr gut und billig ist, zu trinken, kaufen sich die meisten Deutschen Mineralwasser.

2 Mineralwasser ist direkt an einer Quelle in Flaschen abgefülltes Wasser.

3 Es enthält viele Mineralstoffe und Spurenelemente, die sich positiv auf die Gesundheit auswirken, wie z. B. Kalzium und Magnesium.

4   Viele Menschen glauben deshalb, dass Wasser, <u>das sie im Supermarkt gekauft haben</u>, gesünder ist als Leitungswasser.

5   Die <u>im Mineralwasser enthaltenen</u> Mineralstoffe kann man aber auch leicht über andere Nahrungsmittel zu sich nehmen.

6   Viele Menschen sind sich nicht bewusst, wie aufwendig der <u>hinter der Herstellung von Mineralwasser in Flaschen stehende</u> Prozess ist.

7   Das Wasser, <u>das in Flaschen abgefüllt wurde</u>, wird mit dem Lkw transportiert.

8   Wegen der <u>oft mehrere hundert Kilometer langen</u> Transportwege wird viel CO_2 ausgestoßen, <u>das der Umwelt schadet</u>.

9   Bei <u>sehr viel wiegenden</u> Glasflaschen benötigt man besonders viel Benzin.

10 Plastikflaschen, <u>die nach dem Gebrauch entsorgt werden</u>, produzieren hingegen sehr viel Müll.

11 Trinkwasser gehört deswegen leider zu den Lebensmitteln, <u>die am meisten zur Produktion von Plastikmüll beitragen</u>.

12 Weichmacher, <u>die sich in Plastikflaschen finden lassen</u>, können außerdem Krebs erregen.

13 Die zu empfehlende Alternative für alle <u>sich für die Umwelt engagierenden</u> Menschen ist also das Leitungswasser.

14 Und das Beste ist, dass für Leitungswasser, <u>das man bequem bei sich zu Hause aus dem Wasserhahn zapfen kann</u>, kaum extra Kosten entstehen.

12 TEXT UND GRAFIK

Lesen Sie den Text und machen Sie Notizen für eine mündliche Textzusammenfassung. Schauen Sie sich anschließend die Grafik an und notieren Sie die wichtigsten Aussagen, die Sie der Grafik entnehmen. Halten Sie anschließend einen Vortrag, in dem Sie den Text zusammenfassen und ihn mit Informationen aus der Grafik verknüpfen. Nehmen Sie Ihren Vortrag auf und schicken Sie ihn Ihrem Partner. Geben Sie einander Feedback.

FLEISCHFREI IST NICHT GLEICH ÖKO

Immer mehr Menschen steigen auf eine fleischlose Ernährung um. So wollen sie nicht nur die Tiere und ihre Gesundheit schützen, sondern obendrein auch noch die Umwelt. Vegetarier und Veganer gelten damit grundsätzlich als die besseren Klimaschützer. Warum das oft, aber nicht
5 **immer stimmt.**

Kein Steak, keine Fischstäbchen und z. T. sogar auch keine Milch oder Eier. Mittlerweile ernähren sich weltweit rund eine Milliarde Menschen vegan oder vegetarisch – Tendenz steigend. Ihr Hauptargument: der
10 Tierschutz. Darüber hinaus gibt es nun immer mehr Stimmen, die behaupten, die vegetarisch-vegane Küche sei besonders umweltschonend. Ein Irrglaube, denn das stimmt Studien zufolge nur auf den ersten Blick. Fest steht: Für den Anbau pflanzlicher Nahrungsmittel wird deutlich weniger Land be-
15 nötigt. Damit können mehr Freiflächen für Aufforstung* genutzt werden, die zweifellos zum Klimaschutz beitragen. Und auch was die CO_2-Emissionen anbelangt, stehen Obst und Gemüse bedeutend besser da als tierische Produkte. Und doch lauern in der fleischfreien Küche noch einige Umweltsünden, die bisher nur wenig Beachtung in der Debatte rund um die umweltschonendste Ernährungsweise fanden.

20 Bei der Herstellung von Fleischersatzprodukten wie veganen Schnitzeln oder Würstchen ist der CO_2-Verbrauch schon deutlich höher als beim Ernten einer Kartoffel. Und auch die Transportwege von Obst und Gemüse spielen eine wesentliche Rolle bei der Ökobilanz. Wer im Winter auf den Spargel aus Afrika zurückgreift und sich im Supermarkt für die günstigeren Erdbeeren aus Spanien entscheidet, anstatt saisonal und regional einzukaufen, der hat sich bereits einiges an Umweltverschmutzung zu-
25 schulden kommen lassen. Das Gleiche gilt für exotische Trend-Früchte wie Avocados, Ananas, Papayas oder Kokosnüsse, die längst nicht nur mit langen und aufwändigen Transporten verbunden sind: Denn auch ihr enormer Verbrauch von Wasser und anderen Ressourcen schwächt das Image der vermeintlich umweltfreundlichen Vegetarier und Veganer.

Unter den richtigen Bedingungen kann moderater Fleischkonsum sogar besser für die Umwelt sein als
30 die fleischlose Ernährung, so Experten. Zum Beispiel dann, wenn das Fleisch regional und unter Einhaltung des Tierwohls produziert wird. Immerhin gilt: Auch Tiere haben eine Funktion im ökologischen Gefüge der Natur.

*die Aufforstung =
Anpflanzung von
Bäumen mit Ziel der
Bewaldung

ASPEKTE DER ÖKOBILANZ BEI DER LEBENSMITTELPRODUKTION

Quelle: SAK, 2020

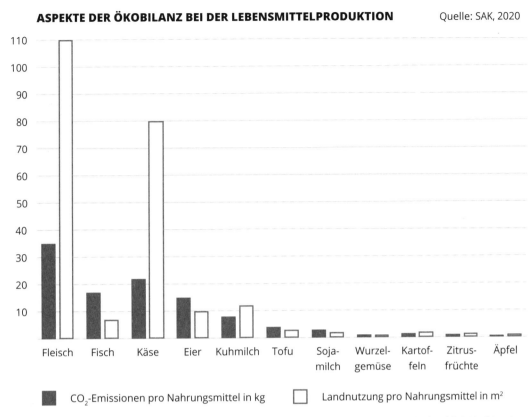

■ CO₂-Emissionen pro Nahrungsmittel in kg   □ Landnutzung pro Nahrungsmittel in m²

Die Angaben beziehen sich jeweils auf Nahrungsmittel pro 100 g Protein (bei Fleisch, Fisch, Käse, Eiern und Tofu), 1 l (bei Kuhmilch und Sojamilch), 1 kg (bei Wurzelgemüse, Kartoffeln, Zitrusfrüchten und Äpfeln)

1 BEWERBUNG

a)   Ergänzen Sie die Stellenausschreibung mit den vorgegebenen Wörtern in der passenden Form.

das Angebot, -e   das Anschreiben, -   der Arbeitsumfang   die Arbeitszeit, -en   die Aufgabe, -n   ausgeprägt

sich bewerben bei   das Interesse, -n   die Kenntnis, -se   der Lebenslauf, ¨e   der Mitarbeiter, -   das Profil, -e

der Umgang, /   vollständig   die Vorkenntnis, -se   das Zeugnis, -se

---

_____ (1) **(m/w/d) im IT-Support**

Du bist IT-affin und hast Spaß am _____ (2)

mit Menschen? Dann bist du bei uns genau richtig! Denn

unser Software-Unternehmen sucht Unterstützung für

die IT-Abteilung.

Wir suchen Verstärkung

Deine _____ (3):

- telefonische Entgegennahme von Kundenanfragen

- ggf. Weiterleitung zur zuständigen Fachabteilung

- Bearbeitung schriftlicher Kundenanfragen via E-Mail

- Lösen von Kundenproblemen

Dein _____ (4):

- gute Deutsch_____ (5) in Wort und Schrift

- _____ (6) Problemlösungsfähigkeit

- Computeraffinität

- idealerweise _____ (7) in HTML und CSS

- Freundlichkeit, Kundenorientiertheit, angenehme Telefonstimme

Unser _____ (8):

- _____ (9): 16 bis 20 Wochenstunden

- _____ (10): Mo bis Fr im Zeitraum von 9:30–18:00 Uhr, flexibel anpassbar an

  deinen Stundenplan

- Einsatzort gut mit dem ÖPNV* erreichbar

Haben wir dein _____ (11) geweckt? Dann _____ (12) uns! Schick

uns deine _____ (13) Bewerbungsunterlagen mit _____ (14),

_____ (15) und ggf. _____ (16) an IT Mäster, Hauptstraße 136A.

Ansprechpartner: Martin Klause, klause@it-maester.de.

*ÖPNV = öffentlicher Personennahverkehr (öffentliche Verkehrsmittel wie Bus und Bahn)

b) Ergänzen Sie das Anschreiben. Nutzen Sie dafür die vorgegebenen Wörter in der passenden Form und ergänzen Sie weitere fehlende Informationen frei. Ergänzen Sie auch Ihre persönlichen Angaben.

die Erfahrung, -en   fortgeschritten   hilfreich   die Informatik, /   persönlich   sammeln   verfügen über + A   die Verstärkung
die Voraussetzung, -en   zuverlässig

_____
_____
_____ (1)
Tel.: _____
E-Mail: _____

_____
_____ (2)
_____
_____

_____ (3), den _____ (4)

Bewerbung _____ (5)

_____ (6),

Sie suchen eine computeraffine _____ (7) für Ihren IT-Support. Durch mein Studium der

_____ (8) bringe ich gute _____ (9) für diese Stelle mit und würde gerne

neben meinem Studium Ihren Kundensupport unterstützen.

Ich _____ (10) Vorkenntnisse in HTML und CSS sowie ein umfangreiches technisches Verständnis. Im Rahmen eines dreimonatigen Praktikums als IT-Supporter konnte ich zudem wertvolle _____ (11) bei der Problemlösung _____ (12), die auch bei der von Ihnen ausgeschriebenen Stelle _____ (13) sein werden. Meine _____ (14) Deutschkenntnisse (Niveau B2), meine gute Ausdrucksfähigkeit sowie meine _____ (15) Arbeitsweise runden mein Profil ab.

Über die Einladung zu einem _____ (16) Gespräch würde ich mich sehr freuen.

_____ (17)

_____ (18)

c) Erkundigen Sie sich, was man bei einer Bewerbung beachten sollte. Welche Tipps gibt es für Bewerbungen per E-Mail? Sammeln Sie Tipps mit Ihrem Partner und stellen Sie sie anschließend im Kurs vor.

2 NOMEN – VERBEN – ADJEKTIVE

a)   Nominalisieren Sie die Adjektive in Klammern in der richtigen Form.

1   Das ist das ⬚, was mir je passiert ist. (gut)

2   ⬚ haben oft andere Interessen als Erwachsene. (jugendlich)

3   Die meisten ⬚ und ⬚ leben in Berlin. (schön, reich)

4   Thomas ist der ⬚ im Kurs. (jung)

5   Eine ⬚ hat es schwer, eine passende Arbeit zu finden. (alleinerziehend)

b)   Ergänzen Sie die fehlenden Adjektive und Nomen. Ergänzen Sie bei den Nomen den Artikel und den Plural und machen Sie einen Strich (/), wenn es keinen Plural gibt.

	Adjektiv	Nomen
1	sparsam	die Sparsamkeit , /
2	feige	die Feigheit, /
3	⬚	⬚ Auffälligkeit,
4	arbeitslos	⬚ ⬚ , ⬚
5	⬚	⬚ Freiheit,
6	⬚	⬚ Berufstätigkeit,
7	krank	⬚ ⬚ , ⬚
8	freundlich	⬚ ⬚ , ⬚
9	⬚	⬚ Benutzbarkeit,
10	besonders	⬚ ⬚ , ⬚
11	⬚	⬚ Erwerbstätigkeit, ⬚

-heit häufig bei kürzeren Adjektiven ohne Endung
-keit häufig bei längeren Adjektiven oder nach Adjektivendungen (z. B. *-ig, -lich, -los, -bar, -sam*)

c)   Finden Sie die passenden Nomen bzw. Verben. Ergänzen Sie bei den Nomen den Artikel und den Plural und machen Sie einen Strich (/), wenn es keinen Plural gibt.

	Nomen	Verb
1	⬚ Umstellung, -en	⬚
2	⬚ ⬚ , ⬚	prüfen
3	⬚ Wiedersehen*, ⬚	⬚
4	⬚ ⬚ , ⬚	teilnehmen
5	⬚ Zunahme, ⬚	⬚
6	⬚ ⬚ , ⬚	abnehmen
7	⬚ ⬚ , ⬚	zurücknehmen
8	⬚ Rücktritt, ⬚	⬚
9	⬚ Motivation, ⬚	⬚

*Manchmal gibt es nur den nominalisierten Infinitiv (immer Singular Neutrum)

10	_____ _____ , _____	erhöhen
11	_____ _____ , _____	sich beschweren
12	_____ Zusage,	_____
13	_____ _____ , _____	sich engagieren
14	_____ Durchführung,	_____
15	_____ _____ , _____	betreuen

✖ d) Streichen Sie die Verben durch, die es nicht gibt bzw. die etwas anderes als das Nomen bedeuten.

1 die Unabhängigkeit – unabhängigen

2 der Missbrauch – missbrauchen

3 die Flexibilität – flexen

4 die Autonomie – autonomen

5 der Fokus – fokussieren

6 die Gastfreundschaft – gastfreunden

7 die Unterstützung – unterstützen

8 die Richtigkeit – richtigen

e) Finden Sie jeweils das passende Adjektiv zu den Nomen aus d), zu denen es keine passenden Verben gibt.

_____

3 ZU, UM … ZU ODER INFINITIV OHNE ZU?

zu-Infinitiv, Finalsatz mit *um … zu* oder Infinitiv ohne *zu*? Ergänzen Sie die Lücken. Viele bleiben leer (/).

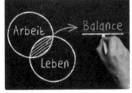

(1) Ist es richtig, ____ sich nur auf das Privatleben ____ konzentrieren? (2) Oder muss man realistisch ____ bleiben und ein ____ sehen, dass auch Geld wichtig ist? (3) Was kann man ____ tun, ____ glücklich ____ werden? (4) In Umfragen zum Thema Glück scheinen Privatleben und Beruf beide eine wichtige Rolle ____ spielen. (5) Studien haben ergeben, dass man das Glück im Privatleben nicht vom Glück im Beruf ____ trennen ____ kann. (6) In der Folge kann Unzufriedenheit am Arbeitsplatz auch dazu ____ führen, ____ in der Freizeit unglücklich ____ sein. (7) Umgekehrt ist es wenig erstaunlich, dass das Privatleben auch die Arbeit ____ beeinflusst. (8) Besonders positiv ist es, ____ glücklich verliebt ____ sein.

Auch für Chefs ist es nützlich, wenn die Mitarbeiter sich wohlfühlen. (9) Denn die Angestellten sind dann motivierter und lassen sich seltener krank ____ schreiben. (10) Deshalb sollten Chefs einige Tipps ____ befolgen, ____ die Zufriedenheit ihrer Mitarbeiter ____ steigern. (11) Sie sollten sie fair ____ bezahlen und ihnen, wenn möglich, feste Jobs ____ geben, ____ die finanzielle Sicherheit der Angestellten ____ garantieren. (12) Außerdem kann ein Dienstwagen oder die Übernahme von Kita-Gebühren dabei ____ helfen, ____ die Motivation ____ verbessern.

(13) Letztlich ist aber jeder selbst dafür verantwortlich, ____ glücklich ____ sein. (14) Nehmen Sie sich Zeit, ____ in Ruhe darüber nach ____ denken. (15) Wenn es in Ihrem Leben etwas gibt, was Sie unglücklich macht, dann gibt es nur eine Lösung: Versuchen Sie, ____ es ____ ändern.

1   PERSONEN IN DER ARBEITSWELT

Welches Wort passt? Ergänzen Sie in der passenden Form. Mehrmals gibt es Komposita.

der Arbeitgeber, -   der Arbeitnehmer, -   der Arbeitsuchende, -   die Fachkraft, ¨e   die Geschäftsleitung, -en

die Managerin, -nen   der Mitarbeiter, -   die Personalabteilung, -en

1   Der _____ verband setzt sich für die Interessen von Unternehmen ein, zum Beispiel bei Tarifverhandlungen mit den Gewerkschaften.

2   Gewerkschaften und Betriebsräte unterstützen Angestellte im Kampf gegen _____ feindliche Regelungen in ihrem Arbeitsvertrag.

3   Die _____ organisiert morgen eine _____ versammlung. Alle müssen hingehen.

4   Die Arbeitsagentur versucht, _____ dabei zu helfen, zurück in den Beruf zu finden, damit sie wieder selbst Geld verdienen können.

5   Bitte kontaktieren Sie meine _____, wenn Sie ein Interview mit mir führen wollen.

6   Der _____ mangel ist im IT-Sektor besonders groß.

7   Die _____ ist die Abteilung eines Unternehmes, die sich mit den Aufgaben rund um den Bereich Human Resources (HR) beschäftigt.

2   GESCHLECHTSNEUTRALE SCHREIBWEISEN – STUDIENVORBEREITUNG

Formulieren Sie den folgenden Text so um, dass alle hervorgehobenen Personenbezeichnungen geschlechtsneutral werden. Nutzen Sie dafür zum Beispiel nominalisierte Partizipien (Partizip I oder II), die Pluralform oder geschlechtsneutrale Bezeichnungen (ein/e Student/in, Vertreter*innen, …). Denken Sie auch an die Anpassung von Artikeln, Personalpronomen und Verben.

(1) **Ein Ausländer**, der an einer deutschsprachigen Hochschule studieren möchte, muss meist einen studienvorbereitenden Deutschkurs besuchen. (2) **Ein Teilnehmer** in einem solchen Deutschkurs hat die Möglichkeit, die fremde Sprache im Alltag und auf akademischem Niveau zu erlernen. (3) **Der Kursleiter** legt zudem Wert darauf, auch kulturelles Wissen zu vermitteln. (4) Und natürlich sollte der Unterricht **dem Lerner** auch Spaß machen.

(5) **Der Lehrer** lässt unter anderem Referate oder Online-Recherchearbeiten durchführen. (6) Solche Aufgaben bereiten angehende **Studenten** perfekt auf ihren Studienalltag vor. (7) Am Ende des Deutschkurses muss **ein Sprachschüler** zu einer Sprachprüfung. (8) Dort beweist der Prüfling vor **einem oder mehreren Prüfern**, dass er Deutsch auf fortgeschrittenem Niveau beherrscht.

(9) Mit der bestandenen Deutschprüfung und einer Hochschulzugangsberechtigung kann **ein ausländischer Bewerber** sein Studium an einer deutschsprachigen Hochschule aufnehmen. Die zuvor erworbenen Deutschkenntnisse sind für ein erfolgreiches Studium besonders wichtig: (10) Zum einen können **die ausländischen Studenten** den Inhalten besser folgen, zum anderen können sie mithilfe ihrer Deutschkenntnisse aber auch einfacher Kontakt zu ihren **Kommilitonen** knüpfen, sagen **Mitarbeiter** des Studierendenwerks. (11) Wer dennoch Probleme mit seinem Studium hat, kann weitere Unterstützungsangebote nutzen, zum Beispiel Buddy-Programme oder Orientierungsveranstaltungen der örtlichen **Studentenvertreter**.

Eine Person aus dem Ausland, die an einer deutschsprachigen Hochschule studieren möchte, muss …

3 VERBALISIERUNG – DAS RECHT ZU ARBEITEN

Verbalisieren Sie die Entwicklung des Arbeitsrechts von Frauen in der Bundesrepublik Deutschland. Schreiben Sie ganze Sätze.

vor 1957	• Mann: Entscheidung über Erwerbstätigkeit der Frau • Mann: Verwaltung des Vermögens der Frau	Vor 1957 **entschied** der Mann, **ob seine Frau erwerbstätig** _____ _____ .
1957	Verabschiedung des Gleichberechtigungsgesetzes: Erlaubnis des Ehemannes für Arbeit der Frau nicht mehr notwendig	1957 _____ . Seitdem **braucht** die Frau keine Erlaubnis des Ehemannes mehr, wenn sie **arbeiten möchte** .
bis 1977	gesetzliche Regelung: Führung des Haushaltes = Aufgabe der Frau	Bis 1976 war gesetzlich _____ , dass es Aufgabe _____ ist, den Haushalt _____ .
1970	Vorlage eines Vorschlages zu einer umfassenden Reform des Ehe- und Familienrechts	1970 _____ zu einer umfassenden Reform des Ehe- und Familienrechts _____ .
1976	Verkündung eines neuen Gesetzes: • Regelung der Haushaltsführung durch beide Ehegatten	1976 _____ _____ , das besagt, dass _____ _____ _____ .

4 VERBALISIERUNG – FRAUENRECHTLERIN

Die Schweizer Juristin, Journalistin und Frauenrechtlerin Iris von Roten hat sich für eine Verbesserung der Rechte von Frauen im Beruf eingesetzt. Verbalisieren Sie die Stationen ihres Lebens. Es gibt mehrere Lösungen.

- Geburt in Basel als Iris Meyer (2.4.1917)
- Studium in Bern, Genf und Zürich, Promotion in Rechtswissenschaften
- Arbeit als Redakteurin der Zeitschrift *Schweizer Frauenblatt* (1943–1945)
- Heirat mit Peter von Roten (1946)
- Geburt der Tochter Hortensia
- Aufstieg zur Partnerin in einer Anwaltskanzlei
- nächtliche Verhaftung, möglicher Grund: Verwechslung mit einer Prostituierten (6.12.1955)
- Veröffentlichung ihres Werkes *Frauen im Laufgitter* (1958)
- Tätigkeit als Reisejournalistin und Malerin (1970er-Jahre)
- Erblindung: Malerei nicht mehr möglich
- Selbstmord in Basel (11.9.1990)

Iris von Roten wurde am 2. April 1917 in Basel als Iris Meyer geboren. Sie ...

5 JOB IM AUSLAND – SO KLAPPT ES MIT DEM TRAUM

a)   Lesen Sie den Text und bearbeiten Sie die Aufgaben.

Barcelona statt Berlin? London statt Landshut? Ein Job im Ausland lockt nach wie vor viele, vor allem Berufseinsteiger. Doch dabei gilt es, einige Besonderheiten zu beachten.

Fast jeder dritte Deutsche (29,3 Prozent) wünscht sich, zumindest
5   eine gewisse Zeit außerhalb Deutschlands zu arbeiten. Das ergab eine repräsentative Umfrage, die das Marktforschungsunternehmen Innofact im Auftrag des Finanzunternehmens TransferWise unter 1 028 Deutschen durchgeführt hat. Ein weiteres Drittel (36,5 Prozent) der Deutschen wären zu einem Job im Ausland bereit, wenn es ihr Arbeitgeber fordern würde oder es der Karriere zuträglich wäre. Und beinahe jeder Achte (12,3
10   Prozent) kann sich vorstellen, dauerhaft im Ausland zu leben und zu arbeiten.

Jeder Siebte (13,2 Prozent) würde am liebsten in den USA, jeder Achte (11,8 Prozent) in Spanien arbeiten. Beliebt sind auch Australien (8,2 Prozent), Italien (6,7 Prozent) und Schweden (6,5 Prozent). Das Traumarbeitsziel junger Deutscher sind eindeutig die USA: Jeder fünfte Deutsche unter 30 Jahren (20,4 Prozent) würde gern dort arbeiten, 9,2 Prozent in Kanada und 7,0 Prozent in Schweden.

15   Bei Männern ist die Bereitschaft, im Ausland zu arbeiten, größer: 71,4 Prozent wären generell dazu bereit, unter den Frauen sind es nur 60,1 Prozent. Auch Jüngere gehen deutlich lieber ins Ausland: 77,4 Prozent der unter 30-Jährigen wären bereit, außerhalb Deutschlands zu arbeiten, aber nur 60,2 Prozent der über 40-Jährigen.

Nach dem Studium den Berufseinstieg im Ausland zu wagen, lockt vor allem Absolventen mit Fernweh.
20   Mancher ist durch Auslandspraktika oder -semester auf den Geschmack gekommen. Für die Karriere kann das durchaus von Vorteil sein. Wer bei international ausgerichteten Unternehmen arbeiten möchte, kann damit seine Flexibilität unter Beweis stellen. Hinzu kommt: „Berufseinsteiger sind in der Regel jung und ungebunden", sagt Karrierecoach Angela Schütte.

Doch ein Jobeinstieg im Ausland birgt auch Gefahren: Haben Berufseinsteiger einige Jahre in der Ferne
25   gearbeitet und möchten dann wieder nach Deutschland zurück, kann das schwierig sein. Jobsuchende haben dann möglicherweise den Kontakt zum heimischen Arbeitsmarkt verloren.

Wen das nicht schreckt, der sollte den Einstieg sorgfältig vorbereiten. „Ich bin immer wieder überrascht, wie viele Absolventen glauben, mit Englisch durchzukommen", sagt Heike Stoof-Sasse von der zentralen Auslands- und Fachvermittlung der Bundesagentur für Arbeit. Die Landessprache des Gast-
30   landes zu lernen, sei Grundvoraussetzung für einen erfolgreichen Start. Sie empfiehlt als Anfangslevel das Sprachniveau B1, optimal wäre allerdings B2 und höher.

Um nach Stellen im Ausland zu suchen, empfiehlt Karrierecoach Schütte, die Deutschen Auslandshandelskammern in den Wunschländern zu konsultieren. So können Bewerber Organisationen und Unternehmen ausfindig machen, die sich in ihrer internationalen Ausrichtung auch nach Deutschland
35   orientieren. Dort sind die Fähigkeiten der deutschen Bewerber möglicherweise besonders gefragt.

Auch bei der Bewerbung müssen Absolventen landestypische Eigenheiten beachten: In manchen Ländern sind Bewerbungsfotos nicht erlaubt. Oft braucht es keine Anlagen wie Zeugnisse – Anschreiben und Lebenslauf reichen aus.

Gekürzte Version des Originaltextes „Job im Ausland: So klappt es mit dem Traum" von XING SE, erschienen auf: https://bewerbung. com/job-im-ausland/, abgerufen am 14.07.2020

1 Ergänzen Sie die Informationen der Grafiken mit den Informationen aus dem Text.

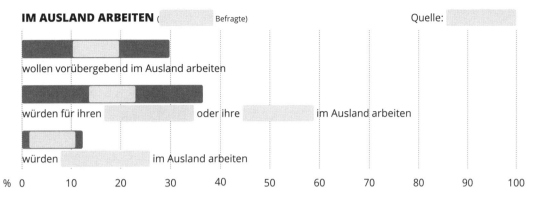

IM AUSLAND ARBEITEN (Befragte)   Quelle:

wollen vorübergebend im Ausland arbeiten

würden für ihren   oder ihre   im Ausland arbeiten

würden   im Ausland arbeiten

% 0   10   20   30   40   50   60   70   80   90   100

TRAUMARBEITSZIEL DER DEUTSCHEN

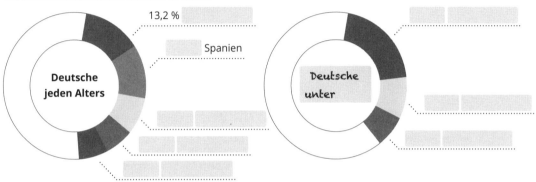

13,2 %

Spanien

Deutsche
jeden Alters

Deutsche
unter

BEREITSCHAFT, IM AUSLAND ZU ARBEITEN

Angaben in

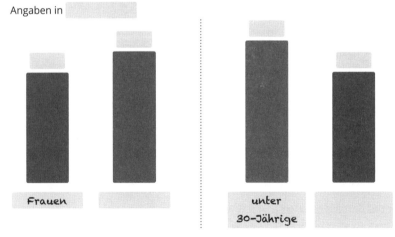

Frauen

unter
30-Jährige

2 Was spricht dafür, was dagegen, im Ausland zu arbeiten? Ergänzen Sie Stichpunkte.

pro: kontra:

3 Was sollte man zur Vorbereitung auf einen Berufseinstieg im Ausland tun?

-
-
-

b) Formen Sie die unterstrichenen Satzteile durch Nominalisierung oder Verbalisierung so um, dass sich der Sinn des Satzes nicht verändert.

1 Fast jeder dritte Deutsche <u>wünscht sich</u>, eine gewisse Zeit im Ausland zu arbeiten.

Fast jeder dritte Deutsche hat   , eine gewisse Zeit im Ausland zu arbeiten.

2 Das <u>ergab eine repräsentative Umfrage</u>.

Das war   .

3 Beinahe jeder Achte kann sich vorstellen, <u>dauerhaft im Ausland zu leben</u>.

Beinahe jeder Achte kann sich   vorstellen.

4 Bei Männern ist die Bereitschaft, <u>im Ausland zu arbeiten</u>, größer.

Bei Männern ist die Bereitschaft zur   größer.

5 77,4 Prozent der unter 30-Jährigen <u>wären bereit</u>, außerhalb Deutschlands zu arbeiten.

77,4 Prozent der unter 30-Jährigen zeigen die   , außerhalb Deutschlands zu arbeiten.

6 <u>Nach dem Studium</u> den Berufseinstieg im Ausland zu wagen, lockt vor allem Absolventen mit Fernweh.

Den Berufseinstieg im Ausland zu wagen, nachdem man   , lockt vor allem Absolventen mit Fernweh.

7 Wer bei international ausgerichteten Unternehmen arbeiten möchte, kann damit <u>seine Flexibilität</u> unter Beweis stellen.

Wer bei international ausgerichteten Unternehmen arbeiten möchte, kann damit unter Beweis stellen, dass   .

8 Doch <u>ein Berufseinstieg</u> im Ausland birgt auch Gefahren.

Doch im Ausland, in   , birgt auch Gefahren.

9 „Ich bin immer wieder überrascht, wie viele <u>Absolventen</u> glauben, mit <u>Englisch</u> durchzukommen", sagt Heike Stoof-Sasse.

„Ich bin immer wieder überrascht, wie viele Personen, die ein Studium   , glauben, damit durchzukommen, nur   ", sagt Heike Stoof-Sasse.

10 <u>Die Landessprache des Gastlandes zu lernen</u>, sei Grundvoraussetzung für einen erfolgreichen Start.

                               sei Grundvoraussetzung für einen erfolgreichen Start.

11 Auch <u>bei der Bewerbung</u> muss man landestypische Eigenheiten beachten.

Auch, wenn   , muss man landestypische Eigenheiten beachten.

6 NOMINALISIERUNG UND VERBALISIERUNG

a) Finden Sie die passenden Nomen bzw. Verben. Ergänzen Sie bei den Nomen den Artikel und den Plural und machen Sie einen Strich (/), wenn es keinen Plural gibt.

	Verb	Nomen	
1	fahren	▨▨▨ ▨▨▨▨▨▨▨, ▨▨	
2	▨▨▨▨▨▨	die Arbeit, -en	
3	fortschreiten	▨▨▨ ▨▨▨▨▨▨▨, ▨▨	
4	▨▨▨▨▨▨	der Sprung, ⁝e	lexikalisierte Nomen
5	sorgen für	▨▨▨ ▨▨▨▨▨▨▨, ▨▨	
6	▨▨▨▨▨▨	der Abschluss, ⁝e	
7	aufsteigen	▨▨▨ ▨▨▨▨▨▨▨, ▨▨	
8	▨▨▨▨▨▨	die Bezahlung, -en	
9	anstellen	▨▨▨ ▨▨▨▨▨▨▨, ▨▨	
10	▨▨▨▨▨▨	die Vermeidung, /	
11	anerkennen	▨▨▨ ▨▨▨▨▨▨▨, ▨▨	Nomen auf -ung
12	▨▨▨▨▨▨	die Schätzung, -en	
13	vermuten	▨▨▨ ▨▨▨▨▨▨▨, ▨▨	
14	▨▨▨▨▨▨	die Senkung, -en	
15	sinken	▨▨▨ ▨▨▨▨▨▨▨, ▨▨	nominalisierte Infinitive
16	▨▨▨▨▨▨	das Verhalten, /	

b) Ergänzen Sie die fehlenden Adjektive und Nomen. Ergänzen Sie bei den Nomen den Artikel und den Plural und machen Sie einen Strich (/), wenn es keinen Plural gibt.

	Adjektiv	Nomen	
1	▨▨▨▨▨▨	die Hälfte, -n	
2	heiß	▨▨▨ ▨▨▨▨▨▨▨, ▨▨	lexikalisierte Nomen
3	▨▨▨▨▨▨	die Zukunft, /	
4	alt	▨▨▨ ▨▨▨▨▨▨▨, ▨▨	
5	▨▨▨▨▨▨	die Zufriedenheit, /	
6	abhängig	▨▨▨ ▨▨▨▨▨▨▨, ▨▨	Endung -heit und -keit
7	▨▨▨▨▨▨	die Genauigkeit, /	
8	anwesend	▨▨▨ ▨▨▨▨▨▨▨, ▨▨	

7 NOMINALKOMPOSITA

Nomen kann man zu Nominalkomposita kombinieren. Dabei werden die Wörter zusammengeschrieben oder verschiedene Fugen-Buchstaben genutzt (z. B. -e, -er, -n, -en, -es, -s) oder Buchstaben weggelassen. Leider gibt es dafür kaum Regeln. Versuchen Sie es nach Gefühl: Bilden Sie zu den folgenden Ausdrücken Nominalkomposita.

1   das Ergebnis der Forschung = **das Forschungsergebnis**

2   der Teilnehmer am Versuch =

3   die Steigerung der Produktivität =

4   ein Beweis für die Freundschaft =

5   die Wohnung, die jemandes Eigentum ist =

6   die Bereitschaft, zu zahlen =

7   die Prozesse bei der Produktion =

8   eine Entscheidung der Mehrheit =

9   der Beginn der Tätigkeit =

10 eine Portion für ein Kind =

11 das Haus, in dem Kranke liegen =

12 die Mitteilung des Ergebnisses =

8 NOMINALISIERUNG – BEWERBUNGSPROZESS

Nominalisieren Sie die Sätze wie im Beispiel.

1   Der Bewerber hoffte, dass man ihn einlädt.

die Hoffnung des Bewerbers auf eine Einladung

2   Er wünscht sich, in der Firma zu arbeiten.

3   Dieses Unternehmen produziert alleinfahrende Autos.

4   Er interessiert sich für die Arbeit.

5   Man lädt den Bewerber zum Vorstellungsgespräch ein.

6   Seine Nervosität steigt dramatisch.

7   Die Firma lädt weitere Bewerber ein.

8   Die Fahrtkosten werden von der Firma übernommen.

9   Alle Bewerber kommen pünktlich in der Firma an.

10   Die Vorstellungsgespräche beginnen um 9:00 Uhr.

9 AUSBILDUNG UND STUDIUM FINANZIEREN

a)   Führen Sie ein Partnerinterview. Einer stellt die Fragen, der andere antwortet. Tauschen Sie anschließend die Rollen.

- Welches Fach studieren Sie / wollen Sie studieren? Welche Ausbildung haben Sie / wollen Sie machen?
- In welchem Bereich wollen Sie arbeiten? Was ist Ihr Traumberuf?
- Hatten Sie schon einmal / Haben Sie zurzeit einen Nebenjob? Welchen?
- Wie finanzieren Sie Ihr Studium / Ihre Ausbildung? Welche weiteren Finanzierungsmöglichkeiten gibt es?
- Finden Sie es richtig, sich für ein Studium / eine Ausbildung zu verschulden?
- Hätten Sie Probleme damit, während des Studiums / der Ausbildung Geld von Ihren Eltern anzunehmen?

b)   Sie hören drei Monologe von Studierenden und Auszubildenden zum Thema Studien- und Ausbildungsfinanzierung. Ergänzen Sie die Tabelle.

> **Glossar zum Hörtext**
> - das Kindergeld = Finanzierungshilfe für Kinder durch den Staat (rund 200 Euro pro Monat)
> - das BAföG = hier: staatliche Finanzierungshilfe; Abk. für Bundesausbildungsförderungsgesetz
> - akademisch = an einer Hochschule/Universität üblich
> - jmdn. übernehmen = hier: jmdn. nach einer Ausbildung oder Probezeit in einer Firma fest anstellen
> - jmdm. die Daumen drücken = jmdm. Glück wünschen

	Monolog 1	Monolog 2	Monolog 3
Wer?	Lena, 22 Jahre	_____, 19 Jahre, aus Düren	Xia, 20 Jahre alt, aus _____
Studium/ Ausbildung	Studium der _____	Ausbildung zur _____	_____ Berufsausbildung
Finanzierung		_____ (Gehalt), BAföG-Zuschuss vom Staat	_____ (Gehalt)
Wunsch für die Zukunft			

c) Ergänzen Sie in den folgenden Sätzen die Namen der Personen sowie die passenden Doppelkonjunktionen. Achten Sie dabei auch auf die Zeichensetzung und nutzen Sie Ihre Ergebnisse aus b).

entweder ... oder │ je ..., desto / umso │ nicht nur ..., sondern auch │ sowohl ... als auch │ weder ... noch │ zwar ..., aber

1 _____ Eltern bezahlen _____ ihre Miete _____ ihren Lebensunterhalt.

2 _____ muss _____ einen Kredit aufnehmen _____ in den Semesterferien arbeiten.

3 _____ wollte _____ Medizin studieren, _____ sie hat keinen Studienplatz bekommen.

4 _____ arbeitet _____ nach der Ausbildung _____ studiert Medizin.

5 _____ Ausbildung erfolgt _____ in einem Betrieb, _____ in einer Berufsschule.

6 _____ weiter _____ in ihrer Ausbildung ist, _____ mehr verdient sie.

10 ARBEITNEHMER = ARBEIT-MIT-NACH-HAUSE-NEHMER?

Viele Firmen bieten ihren Arbeitnehmern an, dass sie sich Arbeit vom Büro mit nach Hause nehmen dürfen. Welche Vor- und Nachteile hat diese Möglichkeit? Wäre dies in Ihrem (zukünftigen) Beruf auch denkbar? Wenn nicht, warum nicht? Wenn ja, würden Sie selbst auch Arbeit mit nach Hause nehmen? Warum bzw. warum nicht?
Schreiben Sie einen argumentativen Text zu dem Thema (ca. 200 Wörter) und begründen Sie Ihre Meinung.

11 FREIZEITSTRESS

a) Sprechen Sie mit Ihrem Partner über die Bilder.

b)   Lesen Sie den Text. Richtig oder falsch? Kreuzen Sie an.

DIE QUAL DER WAHL

Freizeit – davon träumen viele den ganzen Arbeitstag. Endlich Zeit, in Ruhe auf dem Sofa zu sitzen und einen Film zu sehen, ein Buch zu lesen oder ein Videospiel zu spielen. Doch wenn es so weit ist und der lang ersehnte Feierabend endlich da ist, haben viele ein Problem: die Qual der Wahl.

5   Beim Blick ins Regal findet man zehn Bücher, die man noch nicht gelesen hat. Auf dem Streaming-Portal hat man zwanzig Filme, die man immer schon mal sehen wollte, als Favoriten markiert. Und neben der Spielekonsole liegt ein Stapel Spiele, die noch in Plastik eingepackt sind. Unter Gamern, also Leuten, deren Hobby Videospiele sind, ist dieses Phänomen als *Pile of Shame* (wörtlich übersetzt „Stapel der Schande") bekannt. Doch woher kommen diese Unmengen ungenutzter Medien?

10   Der Grund liegt einerseits in unserem Einkaufsverhalten. Einkaufen ist eine Form von Belohnung und setzt positive Emotionen frei. Wenn es uns schlecht geht und wir uns beispielsweise ein Buch kaufen, freuen wir uns schon beim Einkaufen auf den gemütlichen Abend auf dem Sofa. Außerdem können die meisten Menschen Angeboten nicht widerstehen. Wenn es dann bei Aktionen wie dem Black Friday zehn Videospiele zum Preis von einem gibt, dann kaufen viele Menschen impulsiv viel mehr Spiele, als
15   sie eigentlich haben wollen. Und wenn man dann noch zum Geburtstag oder zu anderen Festen etwas geschenkt bekommt, werden die Stapel noch größer.

Andererseits bereitet uns unser Freizeitverhalten ebenfalls große Probleme. Viele Menschen sehen ihre Freizeit als etwas Kostbares an. Freizeit ist ein Schatz, den man nicht verschwenden möchte. Also wollen viele in ihrer Freizeit nur das Beste: den besten Film, die beste Serie, das beste Buch, das beste
20   Videospiel, das beste Brettspiel. Wenn sie dann zehn oder zwanzig Optionen haben, fällt es ihnen schwer, eine Auswahl zu treffen. Am Ende verbringen viele auf der Suche nach dem Besten den ganzen Abend damit, sich die Beschreibung zu jedem Buch, Film oder Spiel durchzulesen. Schließlich ist der Abend dann vorbei und der Stapel immer noch da.

Das kann schnell zu einer frustrierenden Erfahrung werden. Psychologen sagen, dass wir mit einer
25   zu großen Auswahl überfordert sind. Sie raten dazu, keine Zeit mit Nachdenken zu verschwenden, sondern den Stapel einfach systematisch abzuarbeiten. So soll man zum Beispiel einfach das oberste Videospiel nehmen und spielen. Wenn es einem nicht gefällt, kann man am nächsten Abend ja immer noch ein anderes spielen. Irgendwann findet man mit dieser Strategie dann vielleicht das neue Lieblingsspiel. Falls nicht, kann man den Stapel wenigstens als abgearbeitet abhaken und braucht kein
30   schlechtes Gewissen mehr zu haben. Und man kann nach Herzenslust einen neuen Stapel ansammeln.

R	F	1	Alle Leute freuen sich auf den Feierabend.
R	F	2	Einkaufen kann dabei helfen, sich besser zu fühlen.
R	F	3	Die meisten Menschen treffen rationale Kaufentscheidungen.
R	F	4	Viele Menschen betrachten ihre Freizeit als wertvoll.
R	F	5	Nach langer Suche findet man immer das richtige Abendprogramm.

c)   Diskutieren Sie mit Ihrem Partner folgende Fragen.

- Wie verbringen Sie Ihre Freizeit?
- Wie rational sind Sie beim Einkaufen?
- Kennen Sie das Problem der Pile of Shame?
- Schämen Sie sich, wenn Sie etwas gekauft haben und es ein Jahr später immer noch nicht benutzt haben?
- Was kann man gegen den Überfluss an Konsumgütern tun?

⊗ d) Lesen Sie die folgenden Einträge aus einem Forum zum Thema *Pile of Shame*. Versuchen Sie, so viele Grammatikfehler (z. B. Verbposition, Relativpronomen etc.) wie möglich zu finden und zu korrigieren.

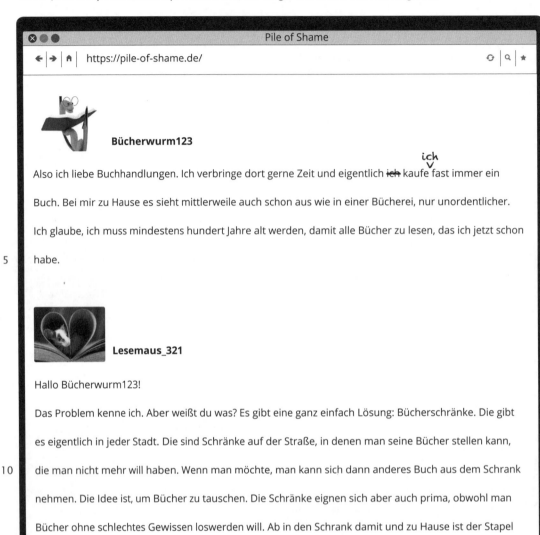

Bücherwurm123

Also ich liebe Buchhandlungen. Ich verbringe dort gerne Zeit und eigentlich ~~ich~~ kaufe *ich* fast immer ein

Buch. Bei mir zu Hause es sieht mittlerweile auch schon aus wie in einer Bücherei, nur unordentlicher.

Ich glaube, ich muss mindestens hundert Jahre alt werden, damit alle Bücher zu lesen, das ich jetzt schon

5 habe.

Lesemaus_321

Hallo Bücherwurm123!

Das Problem kenne ich. Aber weißt du was? Es gibt eine ganz einfach Lösung: Bücherschränke. Die gibt

es eigentlich in jeder Stadt. Die sind Schränke auf der Straße, in denen man seine Bücher stellen kann,

10 die man nicht mehr will haben. Wenn man möchte, man kann sich dann anderes Buch aus dem Schrank

nehmen. Die Idee ist, um Bücher zu tauschen. Die Schränke eignen sich aber auch prima, obwohl man

Bücher ohne schlechtes Gewissen loswerden will. Ab in den Schrank damit und zu Hause ist der Stapel

kleiner.

Schachmatt*99

15 Ich glaub, ich bin spielesüchtig. Ich sammle und sammle und sammle Brettspiele aller Art. Jeder Kinder-

garten wären neidisch für meine Sammlung. Obwohl spiele ich fast immer nur meine beiden Lieb-

lingsspiele: Schach und Dame. Ich habe schon überlegt, wenn ich meine Sammlung irgendwann an ein

Seniorenheim spenden soll. Kinder weiß ja wahrscheinlich in ein paar Jahren nichts mehr mit einem

Brettspiel anzufangen.

e) Schreiben Sie einen Beitrag ins Forum. Was stapelt sich bei Ihnen zu Hause? Welche Strategien gegen das Sammeln können Sie empfehlen?

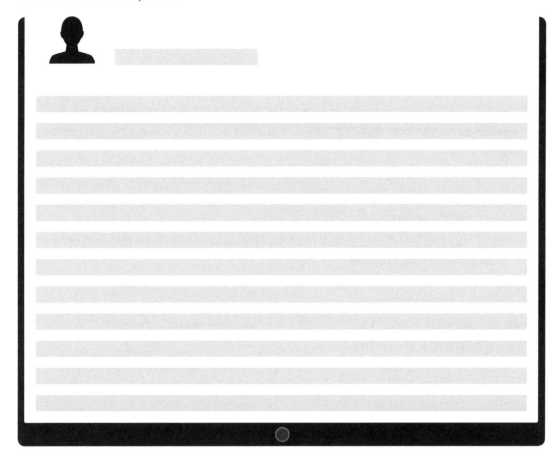

1   MODALVERBEN – AUF DER STRAßE

Ergänzen Sie Modalverben (*können*, *müssen*, *sollen*, *dürfen*, *wollen*, *möcht-*) in der richtigen Form. Achten Sie auch auf die Zeitformen. Die Modalverben können auch im Konjunktiv II stehen. Manchmal sind mehrere Lösungen richtig.

- ♦ Entschuldigung, _____ (1) Sie mir helfen? Ich finde den Weg nicht.

- ■ Wohin _____ (2) Sie denn?

- ♦ Ich _____ (3) unbedingt zu dieser Adresse, weil ich mir da eine Wohnung ansehen will.

- ■ Zeigen Sie mal den Zettel! Oh, ich _____ (4) die Schrift kaum lesen. Was _____ (5) das hier heißen?

- ♦ Warten Sie, ich _____ (6) eben die Brille aufsetzen. Bergmannstal. Bergmannstal 56.

- ■ Bergmannstal. Hm, ich _____ (7) mich gerade nicht erinnern. Leider habe ich hier kein Netz, sodass wir nicht im Internet nachsehen _____ (8).

- ♦ Ich weiß, ich _____ (9) auch nicht ins Internet. Ich _____ (10) mich auf keinen Fall verspäten, sonst ist die Wohnung weg.

- ■ Ich meine, es wäre in diese Richtung. _____ (11) wir das Stück gemeinsam gehen?

- ♦ Ich _____ (12) Sie nicht unnötig aufhalten!

- ■ Nein, nein, das ist kein Problem. Ich _____ (13) heute keine Termine einhalten. Ich _____ (14) Sie begleiten.

- ♦ Vielen Dank. – Der Hausbesitzer hat mir eine Mail geschickt. Er hat mir genaue Anweisungen gegeben, wann ich da sein _____ (15). Und ich _____ (16) ihm viele Fragen beantworten, um in die Auswahl zu kommen.

- ■ Was _____ (17) er denn wissen, wenn ich fragen _____ (18)?

- ♦ Er _____ (19) wissen, was ich verdiene und ob ich die Wohnung dauerhaft finanzieren _____ (20). Ich _____ (21) ihm auch Auskunft darüber geben, ob ich einen Partner habe und ob ich eventuell einmal Kinder haben _____ (22).

- ■ Was? So etwas _____ (23) ein Vermieter doch gar nicht fragen! Das ist gegen das Gesetz! Diese Fragen hätten Sie nicht beantworten _____ (24). Niemand _____ (25) auf solche Fragen antworten!

- ♦ Was hätte ich tun _____ (26)? Meine alte Wohnung _____ (27) ich kündigen, weil ich seit der letzten Mieterhöhung die Miete nicht mehr zahlen _____ (28). Jetzt _____ (29) ich dringend eine neue, billigere Wohnung finden. Was Vermieter fragen _____ (30) und was nicht, ist momentan nicht mein Problem.

- ■ Einerseits _____ (31) ich Sie verstehen. Andererseits frage ich mich, ob Sie wirklich so jemanden als Vermieter haben _____ (32). Also ich an Ihrer Stelle _____ (33) da nicht einziehen ...

- ♦ Wenn ich es mir aussuchen _____ (34), würde ich natürlich eine andere Wohnung suchen.

- ■ Wenn Sie _____ (35), kann ich zur Besichtigung mitkommen. Ah! Hier ist es ja: Bergmannstal.

- ♦ Er schrieb in der Mail, dass ich allein kommen _____ (36).

- ■ Nein! Jetzt reicht es! Sie _____ (37) auf keinen Fall zu dieser Besichtigung gehen! Kommen Sie, wir werden uns jetzt gemeinsam etwas überlegen. _____ (38) wir zusammen einen Kaffee trinken gehen? Dann _____ (39) wir in Ruhe einen Plan schmieden. Sie _____ (40) nicht zahlen, ich lade Sie ein. Ah, ich habe wieder Netz. Sie auch? Rufen Sie diesen Menschen noch kurz an und sagen Sie ihm, dass er nicht auf Sie warten _____ (41).

2   MÜSSEN

Kreuzen Sie an, welche Sätze ausdrücken, ob eine Pflicht bzw. keine Pflicht besteht.

A	Im Zimmer rauchen? Das muss doch nicht sein!
B	Der Asylantrag ist rechtzeitig einzureichen.
C	Ich brauche in diesem Semester keine Hausarbeit mehr zu schreiben.
D	Die Fenster müssen noch geputzt werden.
E	Wo bleibt Thomas denn? – Er kommt gleich, er braucht noch fünf Minuten.

3   KONJUNKTIV II – WELT OHNE GELD

Ergänzen Sie den Konjunktiv II der Verben in Klammern (ein Wort pro Lücke). Es kommen einfache und Formen mit *würde-* + Infinitiv vor.

(1) Jeder _____ gern mehr davon, und unser Alltag ist ohne kaum noch vorstellbar: Geld (haben). Doch viele glauben, der Kapitalismus zerstöre den Menschen. (2) _____ es da nicht eine gute Idee, das „böse Geld" einfach abzuschaffen (sein)? (3) Auf der einen Seite _____ dies viele Vorteile (haben). (4) Das Leben ohne Geld _____ viel harmonischer (sein). (5) Niemand _____ _____ wegen Schulden oder zu hoher Preise _____ (sich streiten). (6) Arbeitgeber _____ ihren Angestellten wirklich attraktive Angebote _____, damit diese für ihre Firma _____ (machen, arbeiten). (7) Vielleicht _____ manche _____ auch dafür _____, gar nicht mehr zu arbeiten (sich entscheiden). (8) Dann _____ sie endlich genug Freizeit und k den ganzen Tag _____, _____ _____ oder einfach _____ (haben, lesen, spazieren gehen, faulenzen können). (9) Und niemand _____ früh _____, wenn er lieber länger _____ _____ (aufstehen müssen, schlafen wollen). (10) Auf der anderen Seite _____ eine Welt ohne Geld auch viele Nachteile _____ _____ (mit sich bringen). (11) Dann _____ die Menschen nämlich andere Produkte, zum Beispiel Zigaretten, Silber oder Gold, als Tauschmittel _____ (verwenden). (12) Der Handel, also der Kauf und Verkauf von Produkten, _____ dann viel komplizierter (sein). (13) Außerdem _____ _____ Onlineshopping oder internationale Transaktionen nur noch schwer _____ (sich umsetzen lassen).

1 WORTSCHATZ – GLOBALISIERUNG

→ KB 34, 3   a)   Ordnen Sie je drei Synonyme bzw. bedeutungsähnliche Adjektive einander zu.

| beschleunigt | rasant | schnell | schwerwiegend | verbunden | verheerend | vernetzt | zerstörerisch | zusammenhängend |

- _____ , _____ , _____
- _____ , _____ , _____
- _____ , _____ , _____

b)   Der Kontext hilft! Bringen Sie mithilfe der (manchmal nur indirekten) Informationen aus den Kursbuchtexten zum Thema Globalisierung die vorgegebenen Begriffe in die richtige chronologische Reihenfolge. Recherchieren Sie ggf. auch im Internet.

| Antike | Erster Weltkrieg | „Super-Globalisierung" | Weltwirtschaftskrise | Zusammenbruch des „Ostblocks" | Zweiter Weltkrieg |

1 _____	ca. 800 v. Chr.–600 n. Chr.
2 _____	1914–1918
3 _____	um 1929
4 _____	1939–1945
5 _____	ca. 1990
6 _____	ab den 1990er-Jahren

2 WORTBEDEUTUNGEN DURCH KONTEXT ERSCHLIEßEN

Was bedeuten die unterstrichenen Wörter? Arbeiten Sie mit dem Wörterbuch. Welche Informationen helfen Ihnen, schnell die richtige Bedeutung zu finden?

1   Die Kartoffel wurde von Spaniern nach Europa <u>eingeführt</u>.

   etwas (die Kartoffel) irgendwohin (nach Europa) einführen / bringen

2   Erik verbringt den ganzen Tag in der <u>Bank</u>.

   Präposition: in (nicht: auf) => Bank hier: Geldinstitut

3   Der Marktführer ist allen anderen Unternehmen <u>überlegen</u>. Er verdrängt seine Konkurrenten vom Markt.

   _____

4   <u>Steuern</u> Sie keine schweren Maschinen, nachdem Sie dieses Medikament eingenommen haben!

   _____

5   Dieses Start-up-Unternehmen schwimmt nur mit dem <u>Strom</u>.

   _____

6   Der <u>Gehalt</u> an Eisen in diesem Boden ist minimal.

   _____

7   Unser Vorgesetzter <u>versteht</u> es, das Unternehmen zu führen.

   _____

Auch grammatische Informationen aus dem Kontext (transitiv oder intransitiv, Genus, Präpositionen etc.) helfen Ihnen, bei mehreren Bedeutungen eines Wortes schnell die passende zu finden. So sparen Sie Zeit.

→ *Welche Band spielt heute Abend?*

→ *Welchen Band brauchst du? Den zweiten oder den dritten?*

→ *Welches Band meinst du? Das rote oder das blaue?*

8   In diesem Land <u>herrscht</u> keine Freiheit.

9   2007 ist eine Finanzkrise <u>ausgebrochen</u>. <u>Ungeheure</u> finanzielle Schäden waren die Folge.

10   Die <u>Konzentration</u> des Tomatenmarks ist recht stark.

11   Es <u>besteht</u> nur zu 65 Prozent aus Wasser.

12   <u>Selbst</u> mit dem Wörterbuch verstehe ich diesen Satz nicht.

13   Will der Käufer die bestellte Ware nicht zum vereinbarten Termin <u>abnehmen</u>, ist er verpflichtet, für den Schaden aufzukommen.

14   Bevor wir neue Ware einkaufen, <u>verbrauchen</u> wir die Vorräte aus dem Lager.

15   Das Gebäude ist schon seit Jahren vollkommen <u>zerfallen</u> und wird nun endlich abgerissen.

3 GLOBALISIERUNG UND FREIHEIT

a)   Ordnen Sie den folgenden Wörtern die passende Bedeutung zu.

1	das Kapital, /	A	sich (frei) entwickeln
2	sich entfalten	B	(großer) Gegensatz, Unterschied
3	die Einschränkung, -en	C	Geld
4	die Kluft, ¨e	D	Merkmal, Eigenschaft
5	das Kennzeichen, -	E	Begrenzung, Reduzierung

1	2	3	4	5

b)   Ordnen Sie den Nomen das passende Verb zu.

etw. bilden   etw. erlassen   etw. verlegen   etw. wecken

1   Hoffnungen / Ängste

2   Gesetze / Regeln

3   einen Termin / seinen Wohnsitz

4   eine Ausnahme

c) Lesen Sie den Text und bearbeiten Sie die Aufgaben.

*betreffen = sich auf etw. beziehen; mit etw. zusammenhängen

LIBERALISMUS

Das vielleicht wichtigste Kennzeichen der globalisierten Welt ist der Liberalismus. Der Begriff kommt aus dem Lateinischen von *liber* bzw. *liberalis*, was *frei* oder *freiheitlich* bedeutet.

Dieser Liberalismus betrifft* nicht unbedingt den Bereich der Politik, denn in vielen „globalisierten"
5 Ländern herrschen nach wie vor wenig freiheitliche politische Strukturen. Vielmehr bezieht man den Liberalismus meist auf das Feld der Wirtschaft – so, wie auch Globalisierung hauptsächlich als wirtschaftliches Phänomen betrachtet wird.

Globalisierung in diesem Sinne setzt also bestimmte ökonomische Freiheiten voraus. In erster Linie ist hier die Freiheit des Handels zu nennen, welcher deshalb beispielsweise nicht durch Zölle einge-
10 schränkt werden soll. Dazu kommt die Freiheit des Kapitalverkehrs, was bedeutet, dass jeder sein Kapital dort investieren kann, wo die höchsten Gewinnchancen bestehen. Eng damit zusammenhängend ist der dritte Punkt, nämlich die Freiheit der Unternehmer, in den Regionen zu produzieren, in denen die Bedingungen am besten und günstigsten sind, beispielsweise in Ländern, wo der Lohn niedrig oder die Rohstoffe billig sind.

15 Inwieweit sich diese ökonomischen Freiheiten ohne echte politische Freiheit voll entfalten können, ist umstritten. Umgekehrt sollten Regierungen aber auch nicht alle ökonomischen Freiheiten lassen, denn es ist auch die Pflicht einer Regierung, auf soziale Gerechtigkeit, die Gesundheit der Bürger oder den Schutz der Umwelt zu achten. Zu diesem Zweck erlassen Regierungen Gesetze und Regulierungen, die eine gewisse Einschränkung der wirtschaftlichen Freiheiten bedeuten.

1 Richtig oder falsch? Kreuzen Sie an.

R	F	1	Liberalismus ist das wichtigste Kennzeichen der Globalisierung.
R	F	2	Nicht alle „globalisierten" Länder sind auch politisch liberal.
R	F	3	Liberalismus betrifft nur die Wirtschaft.

2 Welche drei Voraussetzungen gibt es für eine liberale, globalisierte Wirtschaft? Nennen Sie dazu je ein Beispiel.

-

  Beispiel:

-

  Beispiel:

-

  Beispiel:

3 Warum sollen ökonomische Freiheiten durch die Politik eingeschränkt werden?

d) Lesen Sie den Text und bearbeiten Sie die Aufgaben.

AUSWIRKUNGEN AUF DIE BEVÖLKERUNG

Der Globalisierungsprozess weckt sowohl Hoffnungen als auch Ängste. Während die einen meinen, dass letztlich alle, einschließlich[1] der soge-nannten Entwicklungsländer, profitieren werden, befürchten die ande-

5 ren, dass sich die Kluft zwischen Reichen und Armen immer weiter ver-größern wird.

[1]einschließlich = inklusive

Tatsache ist, dass die weltweite Armut reduziert werden konnte. In den Entwicklungs- und Schwellen-ländern ist die Zahl der absolut Armen (Menschen, die von weniger als 1,90 US-Dollar am Tag leben müssen) teilweise deutlich zurückgegangen. Eine Ausnahme bilden hier allerdings die afrikanischen

10 Länder südlich der Sahara.

Tatsache ist aber auch, dass die Globalisierung Ungleichheiten, also die Unterschiede zwischen Arm und Reich, noch verstärkt. Viele Menschen profitieren deshalb nicht vom wachsenden Wohlstand, zum Beispiel, wenn sie ihre Arbeit verlieren, weil kühl kalkulierende Unternehmer und Manager die Produk-tion dorthin verlegen, wo Arbeit (noch) billiger ist und die dortigen Arbeitskräfte ausgebeutet werden.

15 So gesehen, ist die bisherige Bilanz[2] der Globalisierung keineswegs eindeutig. Möglicherweise liegt das daran, dass es in manchen Bereichen noch zu wenig Freiheit gibt, in anderen dagegen zu viel Liberalismus.

[2]die Bilanz, -en = hier: zusammenfassendes Ergebnis

1 Richtig oder falsch? Kreuzen Sie an.

R	F	1	Die Meinungen über die Globalisierung sind geteilt.
R	F	2	In allen Ländern ist die Zahl der absolut Armen deutlich zurückgegangen.
R	F	3	In Entwicklungsländern muss die Mehrheit von weniger als 1,90 US-Dollar täglich leben.
R	F	4	Der Unterschied zwischen Reichen und Armen wird immer größer.
R	F	5	Es hat sich gezeigt, dass die Globalisierung mehr Vorteile als Nachteile hat.

2 Was versteht man unter einem „kühl kalkulierenden Manager" (Zeile 13)?

 3 Erklären Sie die folgenden Begriffe in eigenen Worten. Recherchieren Sie die Bedeutung im Internet, wenn nötig.

1 das Entwicklungsland, -er* =

2 das Schwellenland, -er* =

3 absolute Armut =

*Warum ist die Ver-wendung dieser Be-griffe problematisch? Recherchieren Sie im Internet. Welche Begriffe könnte man stattdessen benutzen?

4 MODALVERBALTERNATIVEN FÜR *MÜSSEN* UND *WOLLEN* – GEKÜNDIGT

Karl-Heinz ist mit dreimonatiger Frist gekündigt worden. Was jetzt? Schreiben Sie die folgenden Aussagen mit passenden Modalverbalternativen. Es gibt mehrere Lösungen.

1 Nun muss er sich beim Amt arbeitssuchend melden.

2 Man muss das Amt bis zu einer bestimmten Frist vor dem Ende seiner Beschäftigung informieren.

3 Man muss diese Frist auf jeden Fall einhalten.

4 Natürlich will Karl-Heinz so schnell wie möglich eine neue Stelle finden.

5 Er will nicht vom Staat leben.

6 Man muss nicht persönlich beim Amt erscheinen.

7 Wer das Arbeitslosengeld erhält, muss jede zumutbare Beschäftigung annehmen.

8 Wer vorgeschlagene Stellenangebote nicht annehmen will, muss mit ernsten Konsequenzen rechnen.

9 Karl-Heinz muss alle Formulare wahrheitsgemäß ausfüllen.

10 Er will auch zur Not auf einen Teil seines früheren Gehalts verzichten.

11 Vielleicht muss er für eine neue Anstellung den Wohnort wechseln.

5 LAKRITZÄQUATOR

Lesen Sie den Text. Welche Wörter passen in die Lücken? Setzen Sie sie ein, ohne die Form zu verändern. Sie können jedes Wort nur einmal verwenden und nicht alle Wörter können eingesetzt werden.

als bei deshalb dort fern gesamten Hersteller Konsumenten konsumieren Marktführer Produkte seit
süddeutschen um umso vor wenn zusammen

Auf den ersten Blick ist die Produktpalette in deutschen Supermärkten immer gleich: Vom Lieblingskäse aus Holland über die Tiefkühlpizza mit Pilzen bis hin zur Biomilch von heimischen Kühen – alles ist in der _____ (1) Republik verfügbar.

Wer sich die deutschlandweiten Verkaufszahlen allerdings genauer ansieht, macht eine interessante Entdeckung. Denn einige _____ (2) sind nicht in ganz Deutschland beliebt, sondern nur in einigen Landesteilen.

Gut zeigen lässt sich das an Lakritz, einer meist schwarzen Süßigkeit aus Süßholz und Zucker. In Norddeutschland gilt Lakritz _____ (3) Grundnahrungsmittel. Kinder lieben die kleinen schwarzen Leckereien.

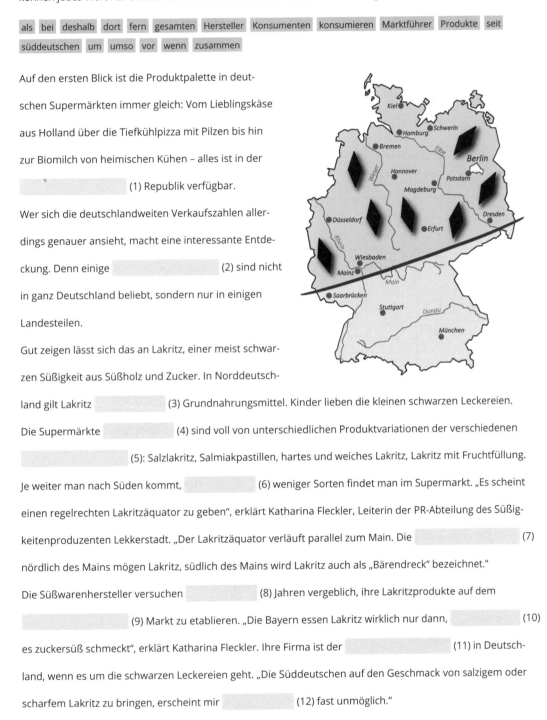

Die Supermärkte _____ (4) sind voll von unterschiedlichen Produktvariationen der verschiedenen _____ (5): Salzlakritz, Salmiakpastillen, hartes und weiches Lakritz, Lakritz mit Fruchtfüllung.

Je weiter man nach Süden kommt, _____ (6) weniger Sorten findet man im Supermarkt. „Es scheint einen regelrechten Lakritzäquator zu geben", erklärt Katharina Fleckler, Leiterin der PR-Abteilung des Süßigkeitenproduzenten Lekkerstadt. „Der Lakritzäquator verläuft parallel zum Main. Die _____ (7) nördlich des Mains mögen Lakritz, südlich des Mains wird Lakritz auch als „Bärendreck" bezeichnet."

Die Süßwarenhersteller versuchen _____ (8) Jahren vergeblich, ihre Lakritzprodukte auf dem _____ (9) Markt zu etablieren. „Die Bayern essen Lakritz wirklich nur dann, _____ (10) es zuckersüß schmeckt", erklärt Katharina Fleckler. Ihre Firma ist der _____ (11) in Deutschland, wenn es um die schwarzen Leckereien geht. „Die Süddeutschen auf den Geschmack von salzigem oder scharfem Lakritz zu bringen, erscheint mir _____ (12) fast unmöglich."

6 INSOLVENZ

a) Lösen Sie das Kreuzworträtsel.

der Auftrag, ⸚e die Insolvenz, -en investieren der Kredit, -e
die Rechnung, -en die Rücklage, -n scheitern die Schulden (Pl)
das Startkapital, / der Vergleich, -e die Ware, -n

1 Geld, das man für den Notfall zurücklegt (Nomen zu *zurücklegen*)

2 etw. nicht schaffen, versagen

3 Geld für etw. ausgeben, um später Gewinne zu machen; das tut ein Investor

4 Liste, auf der steht, was man gekauft hat und wie viel man bezahlen muss

5 Bestellung (Nomen zu *beauftragen*)

6 Produkt

7 Geld, das man sich von der Bank leiht

8 Geld, das bei einer Firmengründung (d. h. am Anfang) zur Verfügung steht

9 hier: Einigung in einem Gerichtsprozess, ohne dass der Prozess beendet wird (Nomen zu *vergleichen*)

10 Geldbeträge, die man noch zurückzahlen muss, nachdem man sich das Geld geliehen hat (Plural)

11 Nomen zu *pleite- / insolvent gehen*

b) Lesen Sie das Glossar und hören Sie alle drei Erfahrungsberichte zum Thema Insolvenz. Warum sind die Personen pleitegegangen? Ordnen Sie die Stichworte den passenden Personen zu.

Glossar zum Hörtext

- die Gastro = Kurzform für Gastronomie
- über die Runden kommen = finanziell zurechtkommen
- die Notbremse ziehen = hier: etw. beenden
- auf etw. sitzenbleiben = hier: Kosten selbst übernehmen müssen
- ein Kunde springt ab = (ugs.) ein Kunde zieht sich plötzlich zurück, möchte doch nichts kaufen
- alle Hebel in Bewegung setzen = alles Mögliche tun
- erbärmlich = schrecklich
- sich jmdm. anvertrauen = jmdm. von seinem Geheimnis erzählen

eigenes Café   Großkunden verloren   kein Investor   keine Abnehmer für gekaufte Waren   keine Kundschaft

Kunden bezahlten Rechnungen nicht   Kunden pleite   Wirtschaftskrise   zu wenig Einnahmen

Person 1: _____

_____

Person 2: _____

_____

Person 3: _____

_____

c)   Bearbeiten Sie die Aufgaben zu den einzelnen Personen. Hören Sie dazu zunächst nur den Erfahrungsbericht
von Person 1 und bearbeiten Sie die Aufgaben zu dieser Person. Hören Sie dann erst den nächsten Erfahrungsbericht und bearbeiten Sie die entsprechenden Aufgaben usw.

Person 1:

1   Person 1 berichtet von ...

- der Eröffnung eines   C
- der Aufnahme eines   K
- dem Abbezahlen ihrer   Sch
- dem Aufsuchen eines   P

2   Richtig oder falsch? Kreuzen Sie an.

R	F	1	Neben dem Studium hat Person 1 in der Gastronomie gearbeitet.
R	F	2	Für das Volontariat im Verlag hat sie kein Geld bekommen.
R	F	3	Person 1 hatte 10.000 € gespart.
R	F	4	Person 1 hat nicht genug Geld mit dem Café verdient.
R	F	5	Bevor sie in die Privatinsolvenz ging, hat sie 70 € pro Woche in ihrem Job verdient.
R	F	6	Das Umfeld von Person 1 hat ihr in der schweren Zeit sehr geholfen.
R	F	7	Inzwischen hat Person 1 keine Schulden mehr.

Person 2:

3   Was passierte Person 2?

Person 2 stand kurz vor der Übernahme _____ (1) seines Vaters. Leider konnten

Kunden plötzlich nicht mehr _____ (2). Die Firma blieb auf _____ (3) in Höhe

von _____ (4) sitzen. Person 2 musste _____ (5) anmelden. Jetzt hat er das

Gefühl, dass alle im Ort über ihn reden. Heute hat Person 2 einen Job als _____ (6).

4   Erklären Sie aus dem Kontext, was der Ausdruck *Gesichtsverlust* bedeutet.

_____

_____

_____

Person 3:

5 Kreuzen Sie die richtige Aussage an. Nur eine der drei Aussagen stimmt mit dem Text überein.

1
A Ein Kunde hat Ware im Wert von über 500.000 € von der Firma bekommen.
B Person 3 hat vom Gericht über 500.000 € bekommen.
C Die Firma hat keinen Käufer für Ware im Wert von über 500.000 € gefunden.

2
A Der Investor hat sich zum Treffen verspätet.
B Ein Investor hat die Firma gerettet.
C Der Investor ist nicht zum Treffen erschienen.

3
A Die Frau von Person 3 wusste wochenlang nichts von der Pleite.
B Person 3 trägt noch heute jeden Tag einen Anzug.
C Person 3 gibt sich selbst die Schuld an der Insolvenz.

d) Sprechen Sie im Kurs über die folgenden Fragen.
- Kennen Sie jemanden, der Insolvenz anmelden musste?
- Wie kam es dazu?
- Wie hat sich die Person dabei gefühlt?
- Wie hat das Umfeld (Freunde, Familie) die Insolvenz aufgenommen?
- Was macht die Person heute?

7 WELT OHNE GELD

Lesen Sie noch einmal Vorübung 3 „Welt ohne Geld". Schreiben Sie dann selbst einen Text (ca. 200 Wörter), in dem Sie darstellen, wie Sie sich eine Welt ohne Geld vorstellen. Gehen Sie dazu auf die folgenden Fragen ein:

- Wie würde der Alltag, z. B. das Wohnen und Einkaufen funktionieren?
- Würde die Wirtschaft zusammenbrechen?
- Würden die Menschen weiterhin arbeiten gehen?
- Welche Alternativen zu Geld würden zum Einsatz kommen (z. B. Tauschwaren)?
- Wären die Menschen glücklicher bzw. wäre das Zusammenleben harmonischer?

8 KONJUNKTIV I – INDIREKTE REDE

a) Sie sind Journalist bei der Unizeitung und wollen einen Artikel über den kamerunischen Studenten Taio N. schreiben. Setzen Sie dafür die Aussagen des Studenten, die Sie in einem Interview mit Ihrem Handy aufgenommen haben, in die indirekte Rede. Verwenden Sie den Konjunktiv I bzw. den Konjunktiv II, wenn der Konjunktiv I mit dem Indikativ identisch ist.

Taio N. im Interview:
1 „Ich bin eigentlich ganz gerne in Deutschland."
2 „Das Studium macht Spaß und ich bin schon viel in Deutschland herumgereist."
3 „Aber ich habe bis jetzt nur mit wenigen Deutschen Freundschaft geschlossen."
4 „Ich weiß auch nicht, warum die Deutschen so reserviert sind."
5 „Ich überlege, ob ich mich in einem Sportverein anmelden soll."
6 „Vielleicht trifft man dort Leute, die ähnliche Interessen haben."
7 „Wenn man ein gemeinsames Hobby hat, kann man bestimmt besser ein Gespräch anfangen."
8 „In Deutschland wird beim Small Talk viel über das Wetter geredet."

9 „Ich würde aber lieber über interessantere Dinge sprechen, wie z. B. über Filme oder Musik."

10 „In meinem Deutschintensivkurs wurde leider nicht viel über Politik und Geschichte diskutiert, weil so viel Zeit für das Lernen von Grammatikregeln verwendet wurde."

11 „Ich konnte mich auch noch nicht mit vielen Deutschen zu diesen Themen austauschen, aber ihre Meinungen dazu interessieren mich sehr."

12 „Ein Freund von mir hat vorgeschlagen, dass wir uns bei einem Sprachtandem anmelden können."

13 „Ich finde, das ist eine gute Idee und lässt sich schnell ausprobieren."

14 „Man muss sich nur einmal mit dem Tandempartner oder der Tandempartnerin treffen und dann kann man schnell sehen, ob man sich mag."

15 „Man darf die Suche nach neuen Freunden nicht so schnell aufgeben."

Taio N., ein kamerunischer Student, sagte auf Anfrage unseres Redakteurs,

1 dass er

2 dass

3 dass

4 er

5 er

6

7

8

9

10

11

12

13

14

15

b) Setzen Sie die Kommentare aus dem folgenden Forum in die indirekte Rede. Achten Sie auf sich ändernde Artikel, Pronomen und Satzzeichen und formulieren Sie Fragen als indirekte Fragen. Oft gibt es mehrere Lösungen. Schreiben Sie in Ihr Heft.

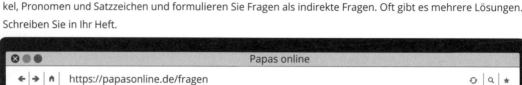

Papas online

https://papasonline.de/fragen

? Frage
von Engel auf Erden

Frauen! Ändert euch!

Ihr Lieben,

ich muss hier wirklich mal meinen Frust loswerden! So stelle ich mir eine funktionierende Ehe nicht vor! Männer sind nicht nur auf dem Papier gleichberechtigt! Aber meine Frau hält mich offenbar für ihren Diener! Sie hilft mir kein bisschen bei der Hausarbeit! Sie lässt mich mit allem, was im Haus anfällt[1], allein! So geht das nicht! Habt ihr ähnliche Erfahrungen gemacht?

#frustrierterPapa #AlleinerziehendmitFrau

 Antwort
von Hausmann007

Ja, das ist bei mir dasselbe! Ich will wirklich wissen, was meine Freundin sich vorstellt! Sie kann sich ja ein halbes Stündchen von ihrem Bürojob erholen. Sie darf sich auch gerne erstmal ein Bier aufmachen. Aber was ist mit mir? Ich muss auch bis 17:00 Uhr arbeiten! Mein Job ist nicht weniger anstrengend als ihrer! Und ich habe keine Pause, wenn ich zur Tür reinkomme. Die Kinder sind halt schon da und wollen umsorgt[2] werden.

 Antwort
von Paul

Ha, und natürlich dauert ihre Pause auf der Couch immer länger als eine halbe Stunde. Und wenn ich meine Frau dann doch mal bitte, wenigstens zu spülen, wird sie sauer: Sie habe viel zu tun, sie verdiene das ganze Geld, sie sei zu erschöpft. Blablabla! Übrigens! Ich verdiene fast genauso viel wie sie! Sie soll sich mal nicht so aufspielen[3]!

#männerpower

 Antwort
von Matthes905

Richtig schlimm wird es bei mir, wenn ihre Mutter zu Besuch kommt. Von diesem Drachen[4] werde ich pausenlos kritisiert: „Der Hausputz wird so gemacht, die Wäsche wird so gemacht; im Schlafzimmer ist wohl noch nie richtig gesaugt worden. Der Küchenschrank muss auch mal wieder aufgeräumt werden!" Ich bin so froh, wenn diese Hexe wieder weg ist.

#böseSchwiegermama

 Antwort
von dadof2

Kommunikation ist alles, kann ich euch raten. Sprecht mit euren Frauen, wenn ihr euch ungerecht behandelt fühlt. Seitdem ich offen mit meiner Frau darüber gesprochen habe, teilen wir uns die Hausarbeit untereinander auf. Sie saugt Staub und kümmert sich um den Müll. Ich putze das Bad und mache die Wäsche.

#Sogeht's #Miteinanderreden

---

[1]etw. fällt an = hier: etw. ist zu erledigen

[2]jmdn. umsorgen = sich um jmdn. kümmern

[3]sich aufspielen = sich selbst als sehr wichtig betrachten
[4]der Drache, -n = Fantasietier, das Feuer spuckt

9   EINKAUFSKULTUR INTERNATIONAL

a) Sehen Sie sich die Bilder an und beschreiben Sie sie in einem kurzen Text. Was zeigen die Bilder? Was kann man an diesen Orten tun? Wo findet man diese Orte?

Bild 1 zeigt einen Markt, auf dem man frisches Obst und Gemüse erwerben kann. In Deutschland findet man Märkte dieser Art vor allem auf den großen zentral gelegenen Plätzen kleinerer und größerer Städte. In anderen Ländern wie ...

b) Sie hören im Radio einen Beitrag zum Thema *Einkaufskultur international – damals und heute*. Recherchieren Sie vorab im Internet und sammeln Sie Vorwissen. Wie hat sich das Einkaufsverhalten in den letzten Jahren in Deutschland und anderen Ländern verändert? Wo kauft man ein? Ist die Entwicklung in allen Ländern gleich? Sprechen Sie in Kleingruppen über Ihre Rechercheergebnisse.
Arbeiten Sie in den Suchmaschinen z. B. mit diesen Suchbegriffen:
- Geschichte Einzelhandel
- Einkaufsverhalten Deutschland
- Einkaufen früher heute

c) Lesen Sie das Glossar und hören Sie den Radiobeitrag. Schreiben Sie alle wichtigen und interessanten Informationen mit. Sie hören den Radiobeitrag nur einmal. Arbeiten Sie dann zu zweit: Vergleichen Sie Ihre Mitschriften, ergänzen Sie fehlende Informationen, korrigieren Sie Fehler und verbessern Sie Ihre Mitschrift.

Glossar zum Hörtext
- der Umsatz, ¨e = Gesamtwert verkaufter Waren eines Unternehmens in einem bestimmten Zeitraum
- das Sortiment, -e = das Warenangebot
- der Marktanteil, -e = prozentualer Anteil eines Unternehmens am Gesamtumsatz aller Unternehmen
- der Vorzug, ¨e = der Vorteil

d) Sie fanden den Radiobeitrag so interessant, dass Sie unbedingt Ihrem Freund davon berichten möchten. Sprechen Sie eine Sprachnachricht für Ihren Freund ein, in der Sie die wichtigsten Informationen des Radiobeitrags in eigenen Worten wiedergeben.

e) Hören Sie die Sprachnachricht eines anderen Teilnehmers und vergleichen Sie die Informationen mit Ihrer eigenen Mitschrift. Hat er an alle wichtigen Informationen gedacht? Wenn nicht, welche Informationen fehlen?

f) Glauben Sie, dass in Deutschland größere Supermärkte langfristig kleinere Lebensmittelgeschäfte vollständig verdrängen werden? Oder wird der kleine Lebensmittelladen wieder an Bedeutung gewinnen? Lesen Sie dazu die Kundenmeinungen. Ergänzen Sie Ihre eigene Meinung und diskutieren Sie dann im Kurs.

A

In Selbstbedienungsmärkten kommt man mit niemandem ins Gespräch, alles ist anonym. Mir fehlt der Austausch mit den Verkäufern, darum gehe ich auch besonders gern auf den Markt. Ein Hypermarkt am Stadtrand ist für mich keine Option.

B

Ich schätze die Beratung durch die Verkäufer. Welche Birnen haben das beste Aroma? Wodurch unterscheiden sich die unterschiedlichen Käsesorten? Welcher Wein passt gut zu Fisch? Angemessene Beratung bekomme ich in den großen Supermärkten meist nicht.

C

Wenn ich einkaufen gehe, kommt es mir vor allem auf Zeitersparnis an. Ich möchte möglichst alles in einem Laden bekommen. Dafür ist dann auch eine längere Anfahrt mit dem Auto für mich in Ordnung.

D

g) Wo kann man in Ihrer Heimat einkaufen, wenn man Lebensmittel, Kleidung, Elektroartikel etc. benötigt? Wie populär ist das Onlineshopping? Gibt es einen Unterschied zwischen dem Konsumverhalten jüngerer und älterer Menschen? Schreiben Sie einen Text.

10 FEILSCHEN UND VERHANDELN

a) Lesen Sie die beiden Aussagen von Fuad und Melanie. Überlegen Sie, inwiefern die beiden gegen kulturelle Konventionen verstoßen haben.

Als ich vor einem Jahr nach Deutschland kam, kaufte ich mir als Erstes eine Winterjacke. Es war Dezember und es war bitterkalt. Ich ging in einen kleinen Klamottenladen. Ich fand dort eine schwarze Daunenjacke für 60 €, die mir gefiel. Ich ging zu dem Verkäufer, zeigte ihm die Jacke und sagte, dass ich sie für 50 € mitnehmen würde. Der Verkäufer sah mich ungläubig an. Ich wiederholte mein Angebot, denn ich dachte, er habe mich nicht verstanden. Der Verkäufer schüttelte den Kopf und sagte: „Die Jacke kostet 60 €. Möchten Sie sie kaufen?" Ich fühlte mich vor den Kopf gestoßen und verließ schnell den Laden – ohne Winterjacke.

Fuad, 23, Aserbaidschan

Im letzten Urlaub waren mein Freund und ich für ein paar Tage in Marrakesch. Wir schlenderten durch die Altstadt und schauten uns auf den Märkten und Bazaren nach Andenken für unsere Familie um. Ich fand ein wunderschönes rotes Tuch, das ich gern meiner Mutter mitbringen wollte. Ich konnte aber keinen Preis für das Tuch entdecken. Ich fragte also den Verkäufer, was das Tuch kosten sollte. Der Verkäufer nannte mir den Preis und sah mich erwartungsvoll an. Das Tuch kostete umgerechnet etwa 15 €. Ich zahlte den geforderten Betrag an den Verkäufer. Als er mir das Tuch in eine Tüte packte, schüttelte der Verkäufer den Kopf und wirkte fast ein bisschen verwundert. Sein Verhalten habe ich überhaupt nicht verstanden.

Melanie, 30, Deutschland

b) Suchen Sie sich eine der beiden Situatonen aus und spielen Sie den Dialog mit Ihrem Partner. Halten Sie sich dabei aber – anders als Fuad und Melanie – an die örtlichen Konventionen.

- *Kann man am Preis noch etwas machen?*
- *Oh, das ist teuer. Können Sie mit dem Preis noch etwas runtergehen?*
- *Sagen wir 50 Euro?*
- *Können Sie mir einen Preisnachlass geben?*
- *Treffen wir uns in der Mitte?*

c) Überlegen Sie im Kurs, in welchen Situationen es in Deutschland üblich ist, nach einem Preisnachlass zu fragen.

11 NO-NAME- VS. MARKENPRODUKT

a) Lesen Sie die Meinungen zu No-Name- und Markenprodukten. Welcher der Meinungen (A–E) stimmen Sie persönlich zu, welcher nicht?

No-Name-Produkte = neutral verpackte Waren ohne Marke oder Firmenlogo

A Ich kaufe immer nur Markenprodukte, auch wenn sie ein bisschen teurer sind. Ich finde, dass da die Qualität einfach besser ist! Die Produkte halten länger und müssen nicht so schnell ersetzt werden. Alles in allem komme ich so günstiger weg.

Thomas Meier, 26 Jahre, Verbraucher

Ich finde es ungeheuerlich, dass irgendwelche Firmen einfach unsere Ideen klauen! Wir haben viel Geld investiert, um neue Produkte zu entwickeln und zu designen. Genau genommen ist das Diebstahl! Jährlich macht unsere Firma durch billige Kopien Hunderttausende Euro Verluste! **B**

Elfriede Kesse, 58 Jahre, Unternehmerin

C Also, ich lebe von Sozialhilfe und kann mir die horrenden Preise der Originalhersteller einfach nicht leisten. Will ich aber auch nicht, denn ich sehe nicht ein, so viel Geld zu bezahlen, wenn ich fast dasselbe Produkt auch viel günstiger bekommen kann, nur, ohne dass ein bekannter Markenname draufsteht.

Lisa Schmidt, 35 Jahre, Verbraucherin

Vor fünf Jahren habe ich diese Firma gegründet, die günstige Elektrogeräte herstellt. Unsere Lohnkosten sind viel niedriger als zum Beispiel in Europa, und die Qualität unserer Produkte ist fast genauso hoch. Das Wichtigste ist aber, dass wir hier vor Ort den Menschen Arbeit geben. Wie sollten sie ohne uns ihre Familien ernähren? D

Song Luoyang, 50 Jahre, Unternehmer

E Kunden sollten beim Kauf nachgemachter Produkte vorsichtig sein. Manche markenlosen Elektroprodukte entsprechen nicht den europäischen Sicherheitsstandards und bei nachgemachten Kosmetika kann es sogar zu gesundheitlichen Risiken, z. B. Allergien, kommen.

Ariana Krasniqi, 44 Jahre, Verbraucherservice

b) Sollten No-Name-Produkte, die teure Markenprodukte kopieren, verboten werden? Schreiben Sie einen argumentativen Text, in dem Sie Vor- und Nachteile für Verbraucher, Originalhersteller und Produzenten abwägen. Nehmen Sie Stellung und begründen Sie Ihre Entscheidung. Befolgen Sie auch die Tipps für einen ausgewogenen Schluss und nutzen Sie die entsprechenden Redemittel.

12 VERBEN MIT PRÄPOSITIONEN – GEISTIGER DIEBSTAHL

a) Was verstehen Sie unter „geistigem Diebstahl"? Sammeln Sie Beispiele.

b) Ordnen Sie den Verben eine passende Präposition zu und ergänzen Sie den erforderlichen Kasus des Nomens wie im Beispiel. Verwenden Sie jede vorgegebene Präposition einmal. Ordnen Sie *werden* zwei Präpositionen zu.

| an | auf | auf | auf | auf | aus | ~~für~~ | für | gegen | gegen | mit | über | um | unter | von | von | vor | vor | zu |

1	halten	**für + A**	
2	es handelt sich		
3	informieren		
4	kämpfen	g	
5	profitieren		
6	schützen		
7	verstehen	u	
8	verstoßen		
9	verwechseln		
10	verweisen		
11	verzichten		
12	warnen		
13	warten		
14	sich wenden	a	
15	werben	f	
16	werden	z / a	
17	wirken	a	
18	wissen	v	

c) Ergänzen Sie die Lücken mit einem passenden Verb mit Präposition aus b) (ein Wort pro Lücke). Verwenden Sie jedes Verb einmal (*werden* zweimal, hier ist der Anfangsbuchstabe schon jeweils in der Lücke vorgegeben.)

(1) Was _____ man eigentlich **u**_____ geistigem Diebstahl? (2) Wer geistigen Diebstahl begeht, _____ **g**_____ das Urheberrecht. (3) Wenn man Texte schreibt, darf man Zitieren nämlich nicht **m**_____ Kopieren _____. (4) Bei einem Zitat muss man immer _____ eine Quelle _____. (5) Auch wenn man nur die Ideen und nicht die genauen Worte aus einem fremden Text nutzt, darf man nicht **a**_____ die Quellenangabe _____.

(6) Im Internet _____ viele Seiten **a**_____ Studierende und Schüler, die keine eigene Leistung erbringen wollen oder können. (7) Die Anbieter solcher Seiten _____ **da**_____, dass es extrem viel Arbeit ist, eine wissenschaftliche Arbeit zu verfassen.

(8) Selbst wenn Studierende vorhaben, ihre Arbeit selbst zu schreiben, **w**_____ der Suche nach Inspiration schnell die verzweifelte Suche nach Arbeitserleichterung. (9) Sobald man aber Sätze oder Ideen von fremden Autoren oder aus dem Internet kopiert, ohne dies mit einer Quellenangabe deutlich zu machen, **w**_____ die schriftliche Arbeit _____ einem Plagiat.

(10) Hochschuldozenten und Lehrer _____ aber **g**_____ die Praxis, sich Leistungen zu erkaufen. (11) Sie _____ vielmehr **f**_____ eigenständiges Arbeiten und eigene Leistungen.

(12) Doch obwohl **da**_____ **wird**, Inhalte aus dem Internet abzuschreiben, tun es viele trotzdem. (13) Doch wenn sie erwischt werden, _____ unter Umständen ein Verfahren wegen Betrugs **a**_____ sie.

(14) Die Androhung von Strafen _____ **a**_____ viele Studierende aber nicht abschreckend.

(15) Manche _____ Plagiate nicht **f**_____ ein großes Problem, andere behaupten, dass man sie nicht ausreichend **dar**_____ hat und sie gar nichts **da**_____, dass _____ bei Plagiaten **u**_____ eine kriminelle Handlung _____. (16) Leider _____ (angebliche) Unwissenheit nicht **v**_____ einer Bestrafung.

🏠 d) Haben Sie bisher in den Medien von bekannten Fällen geistigen Diebstahls gehört? Recherchieren Sie ggf. im Internet und wählen Sie einen Fall aus. Berichten Sie Ihrem Partner davon. Gehen Sie dabei auch auf die folgenden Fragen ein:

• Wer hat den geistigen Diebstahl begangen?
• Was wurde gestohlen?
• Wem wurde es gestohlen?
• Welche (rechtlichen) Folgen hatte der Diebstahl?

1   DAS NEUE FONIO

a)   Ups, über die Bedienungsanleitung Ihres neuen Smartphones ist Kaffee gespritzt. Jetzt haben Sie Probleme, die Hinweise zu entziffern und wissen nicht, wie Sie das Gerät in Betrieb nehmen sollen. Finden Sie die Wörter, die von den Kaffeeflecken verdeckt werden! Einige Wörter müssen grammatisch an den Satz angepasst werden. Achten Sie auch auf Groß- und Kleinschreibung.

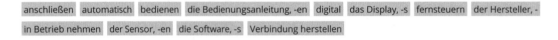

anschließen   automatisch   bedienen   die Bedienungsanleitung, -en   digital   das Display, -s   fernsteuern   der Hersteller, -   in Betrieb nehmen   der Sensor, -en   die Software, -s   Verbindung herstellen

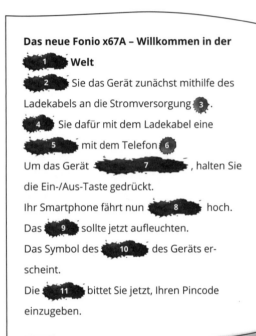

Das neue Fonio x67A – Willkommen in der ▨**1** **Welt**

▨**2** Sie das Gerät zunächst mithilfe des Ladekabels an die Stromversorgung ⬤**3**.

▨**4** Sie dafür mit dem Ladekabel eine ▨**5** mit dem Telefon ⬤**6**

Um das Gerät ▨**7**, halten Sie die Ein-/Aus-Taste gedrückt.

Ihr Smartphone fährt nun ⬤**8** hoch.

Das ⬤**9** sollte jetzt aufleuchten.

Das Symbol des ▨**10** des Geräts erscheint.

Die ▨**11** bittet Sie jetzt, Ihren Pincode einzugeben.

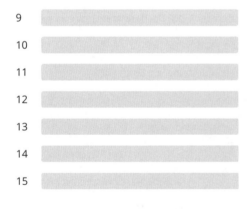

Nun können Sie das Gerät ⬤**12**.

Es empfiehlt sich, zunächst den ⬤**13** für den Fingerabdruck einzurichten. So können Sie das Smartphone in Zukunft entsperren, ohne den Code einzugeben.

Ach übrigens: Mit den neuesten Funktionen können Sie sogar viele Ihrer übrigen Geräte (Fernseher, Lautsprecher, …) mithilfe des Smartphones ▨**14**.

Viel Spaß mit Ihrem neuen Smartphone!

Detaillierte Infos zu weiteren Funktionen finden Sie auf den nachfolgenden Seiten dieser ▨**15**.

1		9	
2		10	
3		11	
4		12	
5		13	
6		14	
7		15	
8			

b)   Schreiben Sie in wenigen Sätzen eine kurze Bedienungsanleitung zu einem technischen Gerät Ihrer Wahl. Mögliche Geräte:

- Ihr Smartphone
- Ihre Kaffeemaschine
- Ihr Toaster

Um den Toaster in Betrieb zu nehmen, muss der Toaster …

2   PRÄPOSITIONALANGABEN – ORIENTIERUNG

a)   Lesen Sie den folgenden Text und ordnen Sie den unterstrichenen Präpositionalangaben (1–10) die passende Bedeutung (A–H) zu. Sie können die Bedeutungen mehrfach zuordnen.

Dieses Gerät gibt es für den Alltagsgebrauch seit Anfang der 1990er-Jahre (1), ab Beginn des 21. Jahrhunderts (2) hat es sich auch in Deutschland (3) immer stärker verbreitet. Es handelt sich um ein Gerät, das mithilfe von GPS* (4) den Aufenthaltsort bestimmen kann. Nutzer verwenden es zur besseren Orientierung (5), zum Beispiel im Straßenverkehr (6). Vor allem bei geänderter Straßenführung (7) ist das Gerät hilfreich. Im Unterschied zu Geräten für den Straßenverkehr (8) berücksichtigen Geräte für den Freizeitgebrauch auch die nicht mit dem Auto befahrbaren Radwege oder Wanderpfade. Trotz ständiger technischer Verbesserung (9) kann es zu Unfällen kommen, beispielsweise bei Schiffs- bzw. Fährverbindungen über Gewässer. Aus diesem Grund (10) ist es wichtig, dem Gerät nicht blind zu vertrauen.

> *das GPS = Globales Positionsbestimmungssystem

A   Art und Weise (modal)

B   Bedingung, Voraussetzung (konditional)

C   Gegensatz, Kontrast (adversativ)

D   Grund (kausal)

E   Ort (lokal)

F   unerwartete Folge (konzessiv)

G   Zeit (temporal)

H   Ziel, Zweck (final)

1	2	3	4	5	6	7	8	9	10

b)   Um welches Gerät handelt es sich in a)? Wie nennt man es? Nutzen Sie dieses Gerät auch selbst? Wann und wofür? Sprechen Sie mit Ihrem Partner.

3   UNEINGELEITETE KONDITIONALSÄTZE – SCHADSOFTWARE

Formulieren Sie die folgenden Sätze in uneingeleitete Konditionalsätze (ohne *wenn* und *falls*) um.

1   Wenn man E-Mails von unbekannten Personen erhält, sollte man vorsichtig sein.

Erhält man

2   Falls sich ein Link in der E-Mail befindet, muss man sich den Absender besonders gut ansehen.

3   Wenn man den Absender nicht kennt, sollte man die E-Mail besser sofort löschen.

4   Passen Sie ebenfalls auf, wenn Sie angebliche E-Mails von der Bank erhalten!

5   Falls man aufgefordert wird, Bankdaten zu verraten, ist äußerste Vorsicht geboten.

6   Man sollte immer die Website der Bank nutzen, wenn man Homebanking betreibt.

_____

_____

7   Falls man noch kein Antiviren-Programm installiert hat, sollte man das unbedingt vornehmen.

_____

_____

8   Wenn man nämlich ungeschützt im Internet surft, lädt man sich irgendwann Schadprogramme auf die Festplatte.

_____

_____

9   Falls man sich doch einmal einen Virus eingefangen hat, muss man ihn sofort beseitigen.

_____

_____

4   PRÄPOSITIONEN, ENDUNGEN, RELATIVPRONOMEN – SERIEN

Ergänzen Sie im folgenden Text die Präpositionen, Endungen und Relativpronomen. Manchmal gibt es mehrere Lösungen. Einige Lücken bleiben leer (/).

(1) Fernsehserie____, ____ in der Regel von privat____ Bezahlsender____ ausgestrahlt werden, sind immer aufwendiger____ und teurer____ geworden. (2) Und sie sind ____ ihrem Publikum sehr beliebt____. (3) Die meist____ Zuschauer____ sehen sie zur Unterhaltung; professionell____ Kritiker____ beurteilen die Qualität der Serien.

(4) ____ ihr____ Berufs betrachten sie die Serien aus ein____ ganz____ ander____ Perspektive.

(5) Medienwissenschaftler, ____ sich ____ der Entwicklung d____ groß____ Serien auseinandersetzen, sehen ein____ einheitlich____ Trend____: Viel____ Geschichten, ____ Handlung sehr komplex____ ist, lassen sich kaum ____ einem zweistündig____ Kinofilm____ erzählen. (6) D____ das Serienformat____ können die Charakter____ d____ auftretend____ Figuren viel____ präziser____ entwickelt werden.

(7) Ein____ Serie besteht ____ der Regel ____ mehrer____ Staffeln; eine Staffel____ hat häufig rund ____ zehn aufeinander aufbauend____ Folge____. (8) N____ einer erfolgreich____ erst____ Staffel____ werden weitere Staffeln produziert.

(9) Die beliebtest____ Them____, um ____ es in solchen Serie____ geht, sind zweifellos das (organisiert____) Verbrechen, Liebe und Leid, Motive ____ der Fantasy-Literatur und oft auch brutal____ Gewalt, sodass zahlreich____ Serie____ erst ____ 16 oder gar ____ 18 Jahren freigegeben sind.

(10) T ____ Altersbeschränkung halten sich viel ____ Jugendlich ____, mit ____ die Medienwissen-

schaftler *i* ____ ihr ____ Umfragen gesprochen haben, nicht ____ die empfohlen ____ Altersfreigabe.

(11) So kann es *d* ____ den Konsum ____ gewalttätig ____ Serien durchaus ____ seelisch ____ Pro-

blemen ____ jugendlich ____ Publikum kommen, ____ aber nicht überraschend ____ ist, da auch

____ eher sensibl ____ Erwachsene die gezeigt ____ Inhalt ____ zu brutal ____ sind.

5 FUNKTIONEN VON *ES*

a) Entscheiden Sie, ob *es* in den folgenden Sätzen Personalpronomen (P), Subjekt eines unpersönlichen Verbs (U), Erststellen-*es* (E) oder Korrelat[1] (K) für einen später folgenden Neben- bzw. Infinitivsatz ist oder ob es sich auf einen vorangegangenen Satz(teil) bezieht (S).

1   Wie geht es dir? **U**

2   Es darf nicht sein, dass Arbeitslose Pfandflaschen sammeln müssen. **K**

3   Ich wollte ein Fahrrad kaufen, aber es war zu teuer. ____

4   Bei einer Mücke handelt es sich um ein blutsaugendes Insekt. ____

5   Es muss dringend etwas gegen den Plastikmüll getan werden. ____

6   Wenn Ihnen das Paket nicht persönlich zugestellt wird, holen Sie es in der Packstation ab. ____

7   Was gibt es heute zu essen? ____

8   Viele Menschen finden es schwierig, älter zu werden. ____

9   Taio hat letzten Monat geheiratet. Ich habe es[2] erst gestern gehört. ____

10 Es ist schon spät! ____

11 Es ist mir egal, welche Ausrede du jetzt wieder hast. ____

12 Es kamen am Sonntag viele Menschen zur Demonstration. ____

13 In der Sonne zu liegen, lieben viele Leute. Ich finde es eher langweilig. ____

14 Ich arbeite heute Nacht an meinem Referat, denn es muss morgen fertig sein. ____

15 Heute ist es zu kalt für einen Spaziergang. ____

16 Macht es dir etwas aus, mich später anzurufen? ____

17 Es wurde viel über den Verkehrsunfall berichtet. ____

18 Er wollte seine Eltern besuchen, dann hat er es aber doch nicht geschafft. ____

b) Formulieren Sie die Sätze aus a) mit Erststellen-*es* (E) oder Korrelat-*es* (K), wenn möglich, so um, dass *es* wegfällt.

2   Dass Arbeitslose Pfandflaschen sammeln müssen, darf nicht sein.

5   ...

[1]*Ich finde **es** gut, dass der Preis günstig ist.*
***Es** stört mich, zu viel zu bezahlen.*

[2]*Wenn sich es auf einen ganzen Satz bezieht, kann man auch das verwenden.*

1   TECHNIK UND FORTSCHRITT

a)   Lesen Sie den Text und fassen Sie anschließend seine Kernaussage zusammen: Unter welcher Bedingung ist der technische Fortschritt als nützlich zu bewerten?

Der technische Fortschritt ist in unserer Welt allgegenwärtig. Technische Neuerungen erleichtern uns das Leben, sowohl den Alltag eines jeden Einzelnen als auch das soziale Leben. Das Smartphone z. B. kann schon lange nicht mehr nur telefonieren. <u>Es</u> ver-
5   waltet unsere Termine, verbindet uns mit unseren Freunden und hilft beim Aufbau eines beruflichen Netzwerks. Der Staubsaugerroboter saugt die Wohnung von selbst und die intelligente Kaffeemaschine hat am Morgen die erste Tasse Kaffee bereits zubereitet, bevor man das Bett verlassen hat.

Aber auch in Bezug auf größere politische, soziale und wirtschaftliche Probleme hat die Technik in den
10   letzten Jahrzehnten an Bedeutung gewonnen. Gentechnisch veränderte Nutzpflanzen versprechen eine größere Ernte, <u>die</u> dabei helfen kann, den Hunger auf der Welt zu verringern. Entwicklungen in der Medizintechnik ermöglichen <u>es</u>, Krankheiten immer früher zu erkennen, um <u>deren</u> Heilungschancen zu verbessern. Und elektrisch angetriebene Fahrzeuge, deren Entwicklung ohne technischen Fortschritt nicht möglich gewesen wäre, sollen dauerhaft <u>dabei</u> helfen, CO_2 einzusparen und den Klima-
15   wandel zu verlangsamen. Das Potenzial moderner Technik ist vielversprechend und erscheint manch einem als Universallösung für sämtliche Probleme des Menschen.

Doch nicht jeder teilt diesen optimistischen Fortschrittsglauben. So müssen gentechnisch veränderte Nutzpflanzen nicht zwangsläufig dazu führen, den Hunger auf der Erde zu stillen, sondern könnten ebenso gut gesundheitliche Schäden hervorrufen oder das ökologische Gleichgewicht zerstören. Der
20   technische Fortschritt in der Medizintechnik wirft neue ethische Fragen und Probleme auf, <u>denen</u> sich der Mensch noch stellen muss. Und nicht wenige stellen auch das Potenzial von elektrisch angetriebenen Fahrzeugen als umweltfreundliche Alternative infrage[1] und verweisen auf die bei <u>ihrer</u> Produktion anfallende Menge an Batterien, <u>die</u> irgendwann entsorgt werden müsse.

Ein wesentlicher Kernpunkt der Kritik am technischen Fortschritt ist das Verhältnis zwischen Mensch
25   und Technik. Das Bild des intelligenten Roboters als Herrscher über das menschliche Geschlecht hat längst Einzug in Film und Literatur gehalten und damit die Frage aufgebracht, ob der Mensch durch die technischen Neuerungen nicht zunehmend an Kontrolle verliert. Auch sehen viele die Gefahr des Missbrauchs der Technik durch den Menschen selbst, <u>der</u> diese zur Überwachung und Manipulation nutzen kann. Durch das Internet, moderne Drohnen[2], die Entwicklung von Techniken der Gesichtser-
30   kennung etc. sind hier ganz neue Formen der Kontrolle entstanden.

²die Drohne, -n =

Der zweite große Kritikpunkt liegt im Verhältnis der Technik zur Umwelt. <u>Diese</u> betrachten viele mit Fortschreiten technischer Möglichkeiten als zunehmend bedroht. Als Beispiel ist hier der Technologieexport der Bundesrepublik Deutschland anzuführen. Dieser ist ein wichtiger Motor für die hiesige Wirtschaft; der Druck des internationalen Wettbewerbs ist für Unternehmen so groß, dass oft allein
35   der Wachstumsgedanke zählt. Ein technologischer Rückstand gegenüber internationaler Konkurrenz hätte starke wirtschaftliche Folgen. Und so werden die Energiespeicher der fossilen Brennstoffe wie Erdöl, Erdgas und Kohle immer leerer. <u>Damit</u> einhergehende Probleme wie Luft- und Bodenverschmutzung werden für stetiges Wirtschaftswachstum in Kauf genommen.

Bei allem Streben nach Fortschritt dürfen also Mensch und Natur nicht vergessen werden, mahnen
40   Wissenschaftler. Wachstum und technologische Entwicklung müssen nachhaltig und vorausschauend gedacht werden, wenn <u>sie</u> dem Menschen dienlich sein sollen. Nur so wird uns und der Umgebung, in der wir leben, nicht geschadet.

b)   Bearbeiten Sie die Aufgaben zum Text.

1   Welche technischen Neuerungen erleichtern laut Text den Alltag?

   •

   •

   •

2   Richtig oder falsch? Kreuzen Sie an.

R	**F**	1	Gentechnisch veränderte Pflanzen könnten helfen, den Hunger auf der Welt zu bekämpfen.
R	**F**	2	Früher erkannte Krankheiten sind heilbar.
R	**F**	3	Durch Elektrofahrzeuge soll der CO_2-Ausstoß verringert werden.
R	**F**	4	Technischer Fortschritt wird von allen Menschen positiv bewertet.
R	**F**	5	Gentechnisch veränderte Pflanzen könnten den Menschen krank machen.
R	**F**	6	Der Nutzen von Elektrofahrzeugen für die Umwelt ist unumstritten.

3   Welche beiden Gefahren sehen Kritiker im technischen Fortschritt im Hinblick auf das Verhältnis zwischen Mensch und Technik?

   •

   •

4   Welche technischen Entwicklungen haben neue Formen der Überwachung möglich gemacht? Nennen Sie die drei im Text genannten Beispiele.

   •

   •

   •

5   Warum wird der technische Fortschritt in der Wirtschaft trotz der genannten Probleme nicht verlangsamt? Vervollständigen Sie die Sätze mit den vorgegebenen Wörtern in der richtigen Form.

   die Konkurrenz , /   der Technologieexport, -e   die Umweltbelastung, -en   das Wachstum, /   die Wirtschaft

   Die deutsche _____ (1) basiert zu einem großen Teil auf _____ (2).

   Die anderen Industriestaaten stellen eine große _____ (3) dar. Das _____ (4) der

   Wirtschaft ist von großer Bedeutung. Dafür werden auch _____ (5) in Kauf

   genommen.

6   „Der technische Fortschritt in der Medizintechnik wirft neue ethische Fragen und Probleme auf, denen sich der Mensch noch stellen muss." (Z. 19–21). Welche ethischen Fragen könnten hier konkret gemeint sein? Sprechen Sie mit Ihrem Partner.

2 TEXTBEZÜGE – TECHNIK UND FORTSCHRITT

Auf welche Wörter bzw. Textstellen beziehen sich die folgenden Wörter aus dem Lesetext „Technik und Fortschritt" aus Aufgabe 1?

Es (Z. 4) =

die (Z. 11) =

es (Z. 12) =

deren (Z. 12) =

dabei (Z. 14) =

denen (Z. 20) =

ihrer (Z. 22) =

die (Z. 23) =

der (Z. 28) =

Diese (Z. 31) =

Damit (Z. 37) =

sie (Z. 41) =

3 NOMINALISIERUNG UND VERBALISIERUNG – KONDITIONAL

a) Was bedeutet *Prokrastination*? Lesen Sie zur Erinnerung den folgenden Informationstext.

> Unangenehme Aufgaben wie die Hausarbeit, das Lernen für Prüfungen oder die Erstellung von Protokollen werden von vielen Menschen gern aufgeschoben. „Mach ich später …", „Erstmal noch ein bisschen streamen …", „Jetzt lohnt es sich auch nicht mehr …". Diese Gedanken zur Rechtfertigung des Aufschiebens kennen viele. Wenn allerdings das Aufschieben so ausgeprägt ist, dass schulische Leistungen, Arbeit oder Sozialleben darunter leiden, spricht man von Prokrastination.

b) Verbalisieren Sie die nominalen Angaben bzw. nominalisieren Sie die Nebensätze.

1 Bei einer starken Ausprägung der Prokrastination wird die betroffene Person oft von ihrer Umgebung als faul oder schwach wahrgenommen.

Wenn die Prokrastination   , wird die betroffene Person oft von ihrer

Umgebung als faul oder schwach wahrgenommen.

2 Wenn jemand zu starkem Aufschieben neigt, hat das Problem jedoch oft seine Ursache in einer psychischen Störung.

Im Falle einer   hat das Problem jedoch oft seine

Ursache in einer psychischen Störung.

3 Sollte man durch das aufschiebende Verhalten stark belastet sein, kann es sich lohnen, eine Psychotherapie zu beginnen.

4   Wird die Prokrastination im Rahmen einer Therapie behandelt, können die Ursachen für diese Störung gefunden werden.

 .

5   Bei Problemen mit dem Zeitmanagement und der Prioritätensetzung hilft dem Patienten oft eine Anleitung zur Strukturierung seiner Arbeit.

 .

6   Ohne die Behandlung der Prokrastination innerhalb einer Therapie bleiben die Probleme meist ungelöst.

 .

7   Bei einer leichter ausgeprägten Prokrastination kann auch die Teilnahme an Seminaren zum Zeitmanagement, beispielsweise von Studienberatungen, helfen.

 .

4   KONDITIONALSÄTZE – ALTERNATIVE VERBALE AUSDRÜCKE

Die Sätze (1–9) sind auch Konditionalsätze. Was bedeuten die Sätze? Welche Umformung entspricht dem Originalsatz? Es ist jeweils nur eine Umformung richtig. Überlegen Sie, warum die anderen beiden Umformungen falsch sind bzw. nicht passen.

1   **Im Falle**, dass sich der ICE nach Hamburg verspätet, können Sie einen alternativen Zug nutzen.

   A   Bei der Nutzung eines alternativen Zuges verspätet sich der ICE nach Hamburg.

   B   Im Falle einer Verspätung in Hamburg können Sie einen alternativen ICE nutzen.

   C   Wenn sich der ICE nach Hamburg verspätet, können Sie einen alternativen Zug nutzen.

2   **Sofern** der Flug überbucht ist, wird ein alternativer Flug angeboten.

   A   Wird ein alternativer Flug angeboten, wird der Flug überbucht.

   B   Falls der Flug überbucht ist, wird ein alternativer Flug angeboten.

   C   Wenn der Flug überbucht, wird ein alternativer Flug angeboten.

3   **Vorausgesetzt**, dass Sie die Prüfung bestehen, dürfen Sie hier studieren.

   A   Sie dürfen hier studieren, wenn Sie die Prüfung bestehen.

   B   Bei Bestand der Prüfung dürfen Sie hier studieren.

   C   Das Bestehen der Prüfung setzt ein Studium voraus.

4   **Für den Fall**, dass es brennt, ist die Benutzung des Aufzugs untersagt!

   A   Wenn der Brand im Aufzug fällt, benutzen Sie ihn nicht!

   B   Wenn der Fall brennt, darf der Aufzug nicht benutzt werden!

   C   Bei einem Brand ist der Aufzug nicht zu nutzen!

5   Der Antrag muss unterschrieben sein, **sonst** ist er **nicht** gültig.

A	Nur bei unterschriebenem Antrag ist er gültig.
B	Sofern der Antrag unterschreibt, ist er gültig.
C	Nur mit Unterschrift ist der Antrag gültig.

6   Im Falle einer Erkrankung **müssen** Sie ein Attest vorlegen. **Dann** dürfen Sie die Prüfung wiederholen.

A	Die Prüfung ist nur zu wiederholen, wenn Sie im Falle einer Erkrankung ein Attest vorlegen.
B	Wenn Sie krank werden, dürfen Sie die Prüfung wiederholen und ein Attest vorlegen.
C	Falls Sie erkranken, haben Sie die Pflicht, ein Attest vorzulegen und die Prüfung zu wiederholen.

7   **Vorausgesetzt**, das Wetter ist nicht zu schlecht, findet die Exkursion wie geplant statt.

A	Bei zu schlechtem Wetter findet die Exkursion wie geplant statt.
B	Die Exkursion findet wie geplant statt, wenn das Wetter nicht zu schlecht ist.
C	Die Exkursion findet wie geplant statt, ist das Wetter nicht zu schlecht vorausgesetzt.

8   **Außer wenn** es schneit, ist die Straße passierbar.

A	Außer Schnee ist die Straße passierbar.
B	Nur bei Schnee ist die Straße nicht passierbar.
C	Nur bei Schnee kann die Straße passiert werden.

9   Sport ist gesund, **es sei denn**, man ist süchtig danach.

A	Sport ist gesund, wenn man nicht süchtig danach ist.
B	Bei Sportsucht ist man gesund.
C	Wenn man nicht süchtig nach Sport ist, ist man gesund.

5   KONDITIONALSÄTZE MIT *SOLLTE-*

Formen Sie die Originalsätze 1–4 aus Aufgabe 4 in Konditionalsätze mit *sollte-* (mit oder ohne *wenn*) um.

1   Wenn sich der ICE nach Hamburg verspäten sollte, können Sie einen alternativen Zug nutzen. / Sollte sich der ICE nach Hamburg verspäten, können Sie einen alternativen Zug nutzen.

6   AUTOS FÜR DIE EWIGKEIT

a)   Lesen Sie die Aufgaben und hören Sie den Hörtext. Machen Sie sich Notizen während des Hörens und bearbeiten Sie im Anschluss die Aufgaben. Hören Sie den Hörtext dann zur Kontrolle noch einmal.

1   Was ist das für ein Vortrag?

2   Welche zentrale Frage will der Redner innerhalb seines Vortrags beantworten?

3   Richtig oder falsch? Kreuzen Sie an.

R	F	1	Henry Ford hat das erste Auto gebaut.
R	F	2	Ganz zu Beginn waren Autos sehr teuer.
R	F	3	Die Tin Lizzy war das erste Auto, das nicht von Hand hergestellt wurde.
R	F	4	Die Fließbandfertigung halbierte die Produktionszeit.
R	F	5	Die Fabrikarbeiter konnten sich selbst Autos kaufen.

4   Was war der <u>entscheidende</u> Vorteil der Tin Lizzy gegenüber Autos der Konkurrenz?

5   Warum wurde dieses Konzept der Tin Lizzy ein Problem für die Industrie?

6   Welche Strategie entwickelte General Motors?

7   Welche beiden Möglichkeiten werden genannt, um Autos moderner erscheinen zu lassen?

•

•

8   Richtig oder falsch? Kreuzen Sie an.

R	F	1	Der VW Käfer® folgt wie General Motors dem Trend der Obsoleszenz, setzt also darauf, dass er schnell veraltet und ein neues Auto gekauft werden muss.
R	F	2	Vom VW Käfer® wurden fast genauso viele Exemplare verkauft wie von der Tin Lizzy.
R	F	3	Der VW Käfer® war nicht zu teuer für einfache Arbeiter.
R	F	4	Der VW Käfer® wurde vor allem in Deutschland verkauft.

b)   „Wie viele von den heutzutage gebauten Autos werden wohl in 10 Jahren noch problemlos funktionieren?" Was würden Sie auf die Abschlussfrage antworten?

c)   Stellen Sie sich vor, Sie leiten einen Automobilkonzern. Welche der beiden angesprochenen Strategien würden Sie anwenden, um möglichst viele Autos zu verkaufen? Begründen Sie Ihre Entscheidung. Schreiben Sie einen kurzen zusammenhängenden Text (etwa 70–100 Wörter).

7 WORTSCHATZ – TECHNIK UND MEDIZIN

→ KB 35, 9 a) Ergänzen Sie die Sätze mit den vorgegebenen Wörtern in der passenden Form.

> ausstatten   das Bakterium, Bakterien   die Behandlung, -en   durchführen   der Forscher, -   der Fortschritt, -e   heilen
> das Implantat, -e   die Injektion, -en   die Konzentration, -en   das Labor, -e   manipulieren   spezialisieren   züchten

1 Seit Jahren arbeiten _____ nun schon an dem neuen Medikament.

2 Auf dem Bauernhof werden hauptsächlich Rinder _____ .

3 Viele Operationen lassen sich heutzutage ambulant _____ , sodass man nicht unbedingt im Krankenhaus übernachten muss.

4 Du darfst eine Zeit lang nicht schwimmen gehen, sonst _____ deine Wunde nicht.

5 Mediziner arbeiten an einer neuen Strategie, _____ zu bekämpfen. Die neue Methode soll eine gute Alternative zur konventionellen Antibiotika-Therapie werden.

6 Viele Patienten würden gern auf Spritzen verzichten, aber oft lassen sich Medikamente nur als _____ verabreichen.

7 Ein Neurologe ist auf Erkrankungen des Nervensystems _____ .

8 Operationssäle sind mit einer Notstromanlage _____ , um zu vermeiden, dass Patienten während eines Stromausfalls nicht versorgt werden können.

9 Ist es ethisch vertretbar, die DNA von Embryonen so zu _____ , dass sog. Designer-Babys, also Babys ganz nach dem Geschmack der Eltern, entstehen?

10 Meldung der Woche: Hohe _____ von Mikroplastik im arktischen Schnee entdeckt!

11 Deine Mutter mag ja recht haben, aber geh lieber mal zum Arzt. Nur ein Arzt weiß, welche _____ bei welcher Erkrankung wirklich sinnvoll ist.

12 Mehr als eine Million Zahn_____ werden jährlich eingesetzt.

13 Die Wasserproben werden von Wissenschaftlern im _____ auf Sauberkeit überprüft.

14 Durch _____ in der Medizin konnte unsere Lebenserwartung erhöht werden.

✖ b) Welche der Wörter aus der Reihe passen nicht in die Wortfamilie? Streichen Sie sie durch. Es können Wörter sein, die es nicht gibt, oder solche, die eine andere Bedeutung haben als der Rest der Reihe. Nutzen Sie Ihr Wörterbuch, wenn nötig.

1 sich spezialisieren auf: der Spezialist – spezialisierlich – die Spezialkeit – spezialisiert sein – die Spezialisierung – spezialisierhaft

2 der Fortschritt: fortschreiten – fortschrittlich – die Fortschrittlichkeit – fortgeschritten sein – die Fortschrittung – das Fortschreiten – fortschrittbar

3 züchten: die Züchtigkeit – zuchtbar – gezüchtet sein – die Züchtung – die Zucht – züchtigen

8 SMARTE TECHNOLOGIE?

a) Sprechen Sie mit Ihrem Partner. Beschreiben Sie das Bild und sprechen Sie über seine Bedeutung.

b) Mein Kühlschrank schimpft, die Waschmaschine hat schlechte Laune und der Herd hat Liebeskummer! – Smarte Technologie und künstliche Intelligenz machen Geräte und Maschinen immer intelligenter. Beschreiben Sie diese Entwicklung mit ein paar Beispielen. Sind Sie als Verbraucher mit dieser Entwicklung zufrieden? Schreiben Sie eine Stellungnahme mit Einleitung, Hauptteil und Schluss.

9 UMFORMUNG VON ATTRIBUTEN – DROHNEN

Formen Sie die Linksattribute in Relativsätze um und umgekehrt.

1 Eine Drohne ist ein <u>eigenständig fliegendes</u> Luftfahrzeug.

Eine Drohne ist ein Luftfahrzeug,   .

2 Drohnen sind Luftfahrzeuge, <u>die ferngesteuert werden</u>.

Drohnen sind   Luftfahrzeuge.

3 <u>Mit vier Rotoren* bewegte</u> Drohnen werden auch als Quadrocopter bezeichnet.

Drohnen,   , werden auch als Quadrocopter bezeichnet.

4 Es gibt aber in Deutschland für den Gebrauch von Drohnen <u>unbedingt zu beachtende</u> Regeln.

Es gibt aber in Deutschland für den Gebrauch von Drohnen Regeln,   .

*der Rotor, -en =

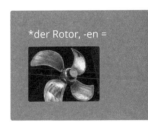

5   Seit 2017 muss man für Drohnen, die über zwei Kilogramm schwer sind, eine Art Führerschein besitzen.

Seit 2017 muss man für ░░░░░░░░░░░░░░░░░░░░░░░░░░░ Drohnen eine Art Führerschein besitzen.

6   Kenntnisse, die dafür nachgewiesen werden müssen, beziehen sich auf die Technik und auf die rechtliche Situation.

░░░░░░░░░░░░░░░░░░░░░░░░░░░ Kenntnisse beziehen sich auf die Technik und auf die rechtliche Situation.

7   Von Krankenhäusern, Autobahnen oder Kraftwerken muss zum Beispiel ein 100 Meter betragender Abstand eingehalten werden.

Von Krankenhäusern, Autobahnen oder Kraftwerken muss zum Beispiel ein Abstand eingehalten werden, ░░░░░░░░░░░░░░░░░░░░░.

8   Es darf auch nicht überall mit der Kamera, die in der Drohne eingebaut ist, gefilmt werden.

Es darf auch nicht überall mit der ░░░░░░░░░░░░░░░░░░░░░ Kamera gefilmt werden.

9   Außerdem muss der Besitzer ein gut lesbares Schild mit Namen und Adresse an der Drohne befestigen.

Außerdem muss der Besitzer ein Schild mit Namen und Adresse, ░░░░░░░░░░░░░░░░░, an der Drohne befestigen.

10 Auch Drohnen, die privat verwendet werden, dürfen nicht näher als 1,5 Kilometer an einen Flughafen heranfliegen.

Auch ░░░░░░░░░░░░░░░░░ Drohnen dürfen nicht näher als 1,5 Kilometer an einen Flughafen heranfliegen.

11 Darüber hinaus dürfen private Drohnen eine Flughöhe von 30 Metern, die gesetzlich vorgeschrieben ist, nicht überschreiten.

Darüber hinaus dürfen private Drohnen eine ░░░░░░░░░░░░░░░░░ Flughöhe von 30 Metern nicht überschreiten.

12 Schäden, die vom Drohnenhalter zu verantworten sind, werden von der Haftpflichtversicherung oft nicht übernommen.

░░░░░░░░░░░░░░░░░░░░░░░░░░░ Schäden werden von der Haftpflichtversicherung oft nicht übernommen.

13 Der Einsatz von Drohnen, der auch ethische Fragen aufwirft, erstreckt sich schon jetzt über viele Bereiche.

Der ░░░░░░░░░░░░░░░░░ Einsatz von Drohnen erstreckt sich schon jetzt über viele Bereiche.

14 Und durch die rasant vorangetriebene Technologie entstehen laufend neue Einsatzbereiche.

Und durch die Technologie, ░░░░░░░░░░░░░░░░░, entstehen laufend neue Einsatzbereiche.

10 VERBEN MIT PRÄPOSITIONEN – ELEKTROMOBILITÄT

Ergänzen Sie die fehlenden Präpositionen und Relativpronomen. Markieren Sie zuerst das Bezugswort. Denken Sie daran, dass zwischen Bezugswort und Relativsatz noch weitere Wörter stehen können, z. B. Genitiv- oder Präpositionalattribute.

1   Das Thema, _____ _____ wir uns heute beschäftigen, ist Elektromobilität.

2   Das ist ein Thema, _____ _____ viel diskutiert wird.

3   Der Klimawandel, _____ _____ die meisten Experten warnen, ist bereits im Gange.

4   Das Konzept der Elektromobilität verspricht die Reduzierung von CO_2, _____ _____ viele Menschen hoffen.

5   Allerdings treten Schwierigkeiten auf, _____ _____ man hätte rechnen können.

6   Sind die Energiequellen, _____ _____ der Strom für die Elektromobilität stammt, erneuerbar?

7   Ist der Abbau der Rohstoffe, _____ _____ die Batterien hergestellt werden, eine umweltfreundliche Alternative?

8   Außerdem haben E-Autos Nachteile, _____ _____ die Besitzer klagen.

9   Das Aufstellen von Ladestationen ist eine Maßnahme, _____ _____ man sich in der Vergangenheit zu wenig gekümmert hat.

10 Problematisch sind auch die hohen Preise für E-Autos, _____ _____ sich viele Kunden beschweren.

11 Eine Entwicklung, _____ _____ Verkehrsexperten warnen, ist die weitere Zunahme von privaten Fahrzeugen in den Städten.

12 Ein Lösungsvorschlag, _____ _____ man jetzt verstärkt nachdenkt, ist der Ausbau des ÖPNV.

13 Denn ein Problem, _____ _____ es in der Diskussion um Mobilität auch geht, sind Verkehrsstaus und zunehmende Konflikte mit Radfahrern und Fußgängern.

14 Fast alle Radfahrer, _____ _____ man über den Autoverkehr spricht, beklagen die aggressive Fahrweise der Autofahrer.

15 Eine Lösung des Mobilitätsproblems, _____ _____ alle Experten suchen, steht leider noch aus.

11 WORKSHOPS ZUR SMARTPHONE-NUTZUNG

Gemeinsam mit einem Partner planen Sie ein Freiwilligen-Projekt, bei dem Senioren im Umgang mit Smartphones und neuen Medien unterstützt werden sollen (Installation und Nutzung von Apps, Online-Bezahlung, Online-shopping etc.). Innerhalb des Projekts sollen verschiedene Workshops an einem Wochenende angeboten werden.

Überlegen Sie mit Ihrem Partner, wie das Wochenend-Programm aussehen könnte und welche Workshops es geben sollte. Machen Sie Vorschläge und einigen Sie sich dann gemeinsam auf ein Programm für das Projekt.

Tipp: Es ist wichtig, dass Sie ein lebendiges Gespräch führen. Reagieren Sie angemessen auf Vorschläge Ihres Partners und begründen Sie Ihre Meinung. Sie sollten beide etwa gleich viel sprechen.

12 SPAMMAIL

Lesen Sie den Text. Welche Wörter passen in die Lücken? Setzen Sie sie ein, ohne die Form zu verändern. Sie können jedes Wort nur einmal verwenden und nicht alle Wörter können eingesetzt werden.

Anzeige | bei | damit | dafür | dass | denn | doch | entwickelt | erhält | erste | es | für | ihn | Krimineller | Postfächer | sondern | versteckten | vieles | vielversprechender | weil | Werbung

Die Erfindung, die die Welt nie brauchte

Am 3. Mai 1978 versendet der Marketingvertreter Gary Thuerk eine elektronische Nachricht und geht damit ungeahnt in die Geschichte des Internets ein. Denn nur wenige Sekunden später _____ (1) beinahe jeder weltweite Nutzer des damaligen Internetvorläufers *Arpanet* elektronische Post. Darin enthalten: Ein Werbeangebot über zwei neue Rechner der Firma, _____ (2) der Thuerk damals angestellt ist. Mit seinen 393 erfolgreich versendeten E-Mails, schafft _____ (3) der Marketingmitarbeiter tatsächlich, seiner Firma rund zwölf Millionen Dollar Umsatz einzubringen. _____ (4) findet er als Erster einen Weg, potenzielle Kunden nahezu kostenlos anzuwerben: Netzwerknutzer ungewollt mit _____ (5) zu überschütten – die Geburtsstunde der Spammail.

Auch damals schon löst die _____ (6) Spammail große Verärgerung aus. Die Ablehnung in der ehemals noch sehr kleinen und unbedeutenden Netzgemeinde ist so hoch, _____ (7) Thuerk keine zweite Werbemail mehr versendet. _____ (8) der Stein ist längst ins Rollen gekommen. In den folgenden Jahren wird der Werbe-Spam wieder aufgenommen und _____ (9) sich beinahe selbstständig zu einem lukrativen Geschäftsmodell mit _____ (10) Chance auf Millionenverdienste. Damit gibt Thuerk 1978 nicht nur den Startschuss zu Direktmarketing und E-Commerce, sondern schafft ungewollt auch noch den Nährboden für betrügerische und störende Spamming-Geschäfte _____ (11), die bis heute täglich unzählige E-Mail-Postfächer mit Werbemüll und _____ (12) Viren überschwemmen.

13 SOZIALE NETZWERKE

Lesen Sie die Informationen zur Geschichte von sozialen Netzwerken und informieren Sie sich ggf. weiter im Internet. Schreiben Sie dann einen argumentativen Text. Gehen Sie dabei auf folgende Punkte ein:

- Benennen Sie einige wichtige Vor- und Nachteile sozialer Netzwerke.
- Für wen haben sie den größten Nutzen? Warum?
- Kann man ihre Erfindung im Nachhinein als sinnvoll bewerten?

> Eine der bedeutendsten Erfindungen der letzten Jahre betrifft das soziale Miteinander. Soziale Netzwerke ermöglichen den Aufbau und die Pflege eines virtuellen Freundeskreises, ohne vor die Haustür gehen zu müssen. Seit den 80er-Jahren gibt es erste Vorläufer dieser Online-Kontaktnetzwerke, sogenannte Bulletin-Board-Systems, die es Nutzern erlauben, private Nachrichten untereinander auszutauschen. Aber erst als
> 5   Mitte der 90er-Jahre das Internet nach und nach für eine breitere Masse zugänglich wird, werden die Kontaktnetzwerke beliebter. Die ersten Online-Communities, wie zum Beispiel das 1995 gegründete *classmates.com*, haben schon Merkmale der heutigen sozialen Netzwerke, z. B. Nutzerprofile, Pinnwände

und die Möglichkeit, private Nachrichten zu verschicken. Etwa 10 Jahre später erleben die virtuellen Gemeinschaftsportale dann einen ersten Boom. 2004 wird *Facebook* erfunden und verzeichnet in den Folge-
10   jahren stetig wachsende Userzahlen. Auch das berufliche Netzwerk *Xing* oder das Musiknetzwerk *Myspace* beginnen zu dieser Zeit, populär zu werden. Spätestens seit der wachsenden Verbreitung von Smartphones in der Bevölkerung sind die sozialen Netzwerke unsere ständigen Begleiter. Neben *Facebook* spielen später beispielsweise auch *Instagram* und *Twitter* eine große Rolle.

14   AUFBAUANLEITUNG

Sie wollen zusammen mit Ihrem Partner ein Bett aufbauen. Überlegen Sie zuerst, was die einzelnen Bildteile darstellen, und ordnen Sie jedem der aufgelisteten Wörter ein Element im Bild zu. Sprechen Sie dann über die einzelnen Arbeitsschritte.

das Fußteil, -e   die Halterung, -en   das Kopfteil, -e   ~~das Lattenrost, -e~~   das Loch, ⸚er   die Mutter, -n   die Schraube, -n
das Seitenteil, -e   die Vorbohrung, -en

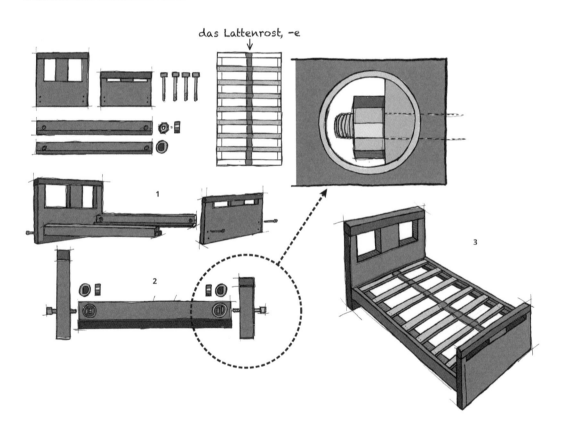

das Lattenrost, -e

Zuerst befestigen wir die Seitenteile am Kopfteil. Dazu ...

1   RELATIVSÄTZE – HALLO PATRICK

Ergänzen Sie die passenden Relativpronomen. Manchmal brauchen Sie eine Präposition.

Von: sam1996@p-mail.de   → Antworten   → Weiterleiten   ⊘ Löschen
Betreff: zurzeit pleite ... :(– aber später gern!!
An: patrick_kl@brief.de

Hallo Patrick,

ganz lieben Dank für deine Einladung nach Berlin, _____ (1) ich mich wirklich gefreut habe!
Leider muss ich dir absagen, denn das Ticket, _____ (2) von hier aus über 100 € kostet, kann ich mir
zurzeit einfach nicht leisten. Hier sind in letzter Zeit ein paar Kosten entstanden, _____ (3)
ich einfach nicht gerechnet habe. Zunächst ist mein Laptop, _____ (4) ich erst vor gut zwei Jahren
gekauft hatte und _____ (5) Garantie gerade erst abgelaufen war, kaputtgegangen. Man konnte
ihn zum Glück reparieren, _____ (6) mich aber leider 180 € gekostet hat. Dann habe ich einem Kommilitonen, _____ (7) ich eigentlich vertraut habe, auch noch 50 € geliehen, _____ (8) ich leider nie wieder
gesehen habe – und ihn auch nicht ... Und zu guter Letzt habe ich dann auch noch mein Smartphone
verloren, _____ (9) mir meine Mutter zum Geburtstag geschenkt hatte. Das ist mir doch tatsächlich bei
einer Bootsfahrt aus der Tasche ins Wasser gefallen! Das war wahrscheinlich das Blödeste, _____ (10)
mir passieren konnte.

Tja, und du weißt ja, dass der Ort, _____ (11) ich hier wohne, ziemlich schlecht angebunden ist.
Deshalb würde die Fahrt zu dir fast 9 Stunden dauern, _____ (12) mir ein bisschen die Zeit fehlt.
Vor allem, weil ich jetzt bei dieser Pizzeria, _____ (13) ich bisher nur am Samstagabend gearbeitet habe, Extraschichten mache, um mein Konto wieder aufzubessern. Ich habe kaum noch Zeit für mich
selbst, _____ (14) mich ganz schön belastet.

Aber ich möchte die Einladung, _____ (15) ich von dir bekommen habe, nicht komplett ablehnen. Was
hältst du davon, den Besuch auf eine Zeit zu verschieben, _____ (16) ich etwas mehr Geld und
Zeit habe? Wie wäre vielleicht der kommende Mai, das ist dann auch der Monat, _____ (17) du
Geburtstag hast! Dann können wir durch Berlin ziehen und auf dich anstoßen!
Und wie geht's dir eigentlich? Erzähl mir bitte mehr von deinem Hauptstadtleben!

Bis ganz bald! Viele Grüße
Sam

2   NOMINALISIERUNG – ERFINDUNG DES TRINKHALMS

Lesen Sie den Text und füllen Sie die Lücken im Handout aus. Nominalisieren Sie dazu die im Text markierten
Ausdrücke.

[1]die Sumerer (Pl) =
Volk, das im 3. Jahr-
tausend v. Chr. in
Vorderasien lebte
[2]die Fermentation, -en
= biochemisches
Verfahren, durch
das Bier reift

EINE KURZE GESCHICHTE DES TRINKHALMS

Wer den Trinkhalm erfunden hat, lässt sich nicht so genau sagen. Schon vor Jahrtausenden began-
nen Menschen damit, Flüssigkeiten durch kleine Röhrchen zu trinken. Schon die alten Sumerer[1], die
bekannt für das Bierbrauen waren, **benutzten Trinkhalme (1)**, um ihr selbstgebrautes Bier ohne die
5   Nebenprodukte der Fermentation[2] zu trinken. Diese Röhrchen waren aus Edelmetallen **gefertigt (2)**.

Später **nutzten (3)** die Menschen Strohhalme, also Halme aus Weizengras oder Roggen, um ihre Getränke zu sich zu nehmen. Diese Trinkhalme stellten sich jedoch als sehr **instabil (4)** heraus, da sie sich in Getränken schnell zersetzten.

Marvin Stone gilt als der Mann, der den modernen Trinkhalm **erfun-**
10 **den (5)** hat. 1888 **konstruierte (6)** er das erste Modell eines Papier-
trinkhalms. Zwei Jahre später begann er, seine Papiertrinkhalme für
den Massenmarkt zu **produzieren (7)**. Die Trinkhalme wurden in
den nächsten Jahrzehnten in den USA millionenfach **verkauft (8)**. In
den 1960er-Jahren **investierten (9)** dann mehrere Hersteller auf der
15 ganzen Welt in die Produktion von Plastiktrinkhalmen. Diese waren nicht so **empfindlich (10)** wie die Papiermodelle und setzten sich deshalb auf dem internationalen Markt schnell durch.

Vor dem Hintergrund des gewachsenen Umweltbewusstseins weiß man heutzutage, dass Papiertrinkhalme weniger umweltschädliche Substanzen **enthalten (11)** und leichter **abgebaut (12)** werden können als Plastiktrinkhalme. Daher werden inzwischen wieder Papiertrinkhalme immer **beliebter (13)**.
20 Immer mehr Länder **verbieten (14)** zudem die Produktion von Plastiktrinkhalmen zugunsten der Umwelt.

Die Erfindung des Trinkhalms

<u>frühe Geschichte des Trinkhalms</u>

- Erfinder des Trinkhalms: unbekannt
- Sumerer: **Benutzung von** _____ (1) für selbst gebrautes Bier
  → _____ (2) aus Edelmetallen
- später: _____ (3) von natürlichen Materialien für Trinkhalme
  → Problem: _____ (4) dieser Materialien

<u>moderne Trinkhalme</u>

- 1888: _____ (5) des modernen Trinkhalms durch Marvin Stone
- _____ (6) des ersten Modells mit Papier
- 1890: _____ (7) für den Massenmarkt
- millionenfacher _____ (8) in den nächsten Jahrzehnten

<u>Plastiktrinkhalme</u>

- 1960er-Jahre: _____ (9) in die Produktion von Plastiktrinkhalmen
  → geringere _____ (10)

<u>heute</u>

- Papiertrinkhalme: **niedrigerer Gehalt** (11) von umweltschädlichen Substanzen;
  → leichterer _____ (12)
- größere _____ (13) von Papiertrinkhalmen
- _____ (14) von Plastiktrinkhalmen in immer mehr Ländern

3 PRÄSENTATIONEN HALTEN

a) Ordnen Sie die Redemittel der jeweils passenden Phase innerhalb der Präsentation zu. Manche Redemittel können mehrfach zugeordnet werden. Welche Redemittel sind eher ungeeignet? Streichen Sie die Redemittel durch, die man besser nicht verwenden sollte.

Einleitung	Hinführung zum Thema	
	Gliederung des Vortrags	
Hauptteil	Argumentation	
	Belege und Beispiele	
	Erklärungen	1,
	Überleitungen	
Schluss	Zusammenfassung/Fazit	
	Eröffnung der Diskussion	

1   *Mit anderen Worten …*

2   *In unserem Vortrag möchten wir euch … vorstellen.*

3   *Besonders deutlich wird dies an dem Fall …*

4   *Wir sind eigentlich keine guten Redner, aber wir sollen hier etwas zum Thema … sagen.*

5   *Wir kommen nun zum nächsten Punkt …*

6   *Unser Vortrag besteht aus vier Teilen.*

7   *Im Anschluss widmen wir uns der Frage …*

8   *Genauer gesagt …*

9   *Als Erstes werden wir kurz …*

10   *Wir befassen uns jetzt mit …*

11   *Einerseits … andererseits …*

12   *Zum einen … zum anderen …*

13   *Werfen wir jetzt einen Blick auf …*

14   *Zur Veranschaulichung möchten wir euch ein Beispiel nennen.*

15   *Zusammenfassend ist also zu sagen, dass …*

16   *Wir würden jetzt gern das Wort an euch richten.*

17   *Wenn Sie etwas nicht verstehen, nutzen Sie bitte Ihr mitgebrachtes Wörterbuch und unterbrechen Sie uns nicht.*

18   *Anschließend möchten wir …*

19   *Um das zu verdeutlichen, werfen wir einen Blick auf …*

20   *Vorhin habe ich ganz vergessen, Ihnen noch den Punkt auf meinem Notizzettel vorzulesen.*

21   *Das heißt / bedeutet …*

22   *Danke, dass ihr trotz des langweiligen Themas zugehört habt. Gibt es noch Fragen?*

23   *Wie seht ihr …?*

24   *Abschließend lässt sich festhalten, dass …*

b) Wählen Sie ein Thema, über das Sie ohne inhaltliche Vorbereitung 5 Minuten sprechen können (z. B. Ihren letzten Urlaub, Fußball-WM, …). Machen Sie sich Stichpunkte und halten Sie spontan einen kurzen Vortrag. Markieren Sie vorab Redemittel aus a), die Sie in Ihren Vortrag integrieren wollen. Nehmen Sie Ihren Vortrag auf und schicken Sie ihn Ihrem Partner zur Kontrolle.

1 WORTSCHATZ – DAS ERSTE ELEKTROAUTO

a) Erklären Sie die folgenden Ausdrücke/Sätze aus dem Kursbuchtext in eigenen Worten.

→ KB 36, 2b)

1 Elektroautos lagen gut im Rennen.

=

2 Elektroautos wurden ins Abseits gedrängt.

=

3 Die Elektromobilität führte ein Nischendasein.

=

4 Die heutige Elektromobilität knüpft an eine lange Geschichte an.

=

b) Formulieren Sie mit den Wörtern ganze Sätze.

1 gelten als: von Andreas Flocken / erstes deutsches Elektroauto / der Elektrowagen / .

2 starten müssen: Chauffeure / eine Kurbel / früher / die Motoren / mit / .

3 zusammenbauen: am Fließband / Autos / in Stückzahlen / groß / .

4 sich durchsetzen können: die Elektromobilität / die Vergangenheit / in / nicht / .

5 sich zeigen: immer wieder / die Elektromobilität / die Leistungsfähigkeit / aber / .

2 FEHLERKORREKTUR IN DER TEXTPRODUKTION

a) Lesen Sie die folgende Aufgabenstellung und ergänzen Sie die Informationen.

> Spätestens seit Elektroautos serienmäßig produziert werden, sind sie auf dem Vormarsch.
> Doch auch immer mehr andere Elektrofahrzeuge wie z. B. E-Bikes sind auf deutschen Straßen zu sehen.
> Was halten Sie von Elektrofahrzeugen? Würden Sie sich selbst eins kaufen?
> Schreiben Sie eine Stellungnahme, in der Sie auf die Vor- und Nachteile von Elektromobilität eingehen und auch die Situation der Elektromobilität in Ihrer Heimat schildern. Schreiben Sie ca. 200 Wörter.

Thema:

zentrale Frage:

b) Lesen Sie die folgende fehlerhafte Stellungnahme. Welche Fehler entdecken Sie? Unterstreichen Sie die fehlerhaften Textstellen, korrigieren Sie sie aber noch nicht!

> Im Zusammenhang will ich fragen, ob ich mir ein Elektrofahrzeug kaufen würde? Spätestens seit Elektro-
> <u>   3</u>
>
> autos serienmäßig produziert werden, sind sie auf dem Vormarsch. Doch auch immer mehr Elektroroller
>
> und Elektroscooter sind auf deutschen Straßen zu sehen.
>
> Ich werde mir auf jeden Fall ein Elektroauto kaufen. Auf einer Seite haben Elektroautos Vorteile, dass
>
> 5   der Umgang mit Elektroautos leichter ist. Man muss sie nicht so oft reparieren, weil Elektromotoren
>
> langsamer verschleissen, also hat er weniger Kosten. Elektroautos sind leise. Der wichtige Vorteile ist die
>
> Umwelt. Nämlich stoßen Elektrofahrzeuge kein CO_2 aus, das ist hauptverantwortlich für den Klimawandel.
>
> Anderseits haben Elektromobilitäten Nachteile: begrenzte Batteriereichweite und teuere Anschaffung.
>
> Elektroauto ist durchschnittlich doppelt so viel bezahlbar wie ein Benzinauto.
>
> 10   Alles in Alles, Elektroautos sind schön. Als Letztes soll ich noch die Situation in meiner Heimatland
>
> beschreiben. Niemand eroffnet dort ein Autohändler.

c) Lesen Sie die Korrekturhinweise zur Stellungnahme aus b). Finden Sie die zu den Hinweisen passenden Fehler im Text und nummerieren Sie sie wie im Beispiel.

Einleitung

1   *ich* vermeiden, besser unpersönliche Formulierungen (*man, es*, Passiv, ... *stellt sich die Frage*, ...)

2   Zeichensetzung: indirekte Frage nach Aussagesatz: Punkt statt Fragezeichen

3   Ausdruck: *in diesem Zusammenhang*

4   zentrale Frage steht nicht am Beginn, sondern am Ende der Einleitung

5   nicht die Aufgabenstellung wortwörtlich kopieren, sondern umformulieren

Hauptteil

6   Antwort auf die zentrale Frage steht im Schlussteil

7   Ausdruck: *auf der einen Seite*

8   *man ≠ er*

9   Satzbau: Nebensatz passt nicht zum Hauptsatz → ersten Hauptsatz abschließen, danach neuen Hauptsatz mit Nebensatz beginnen, z. B.: ... *Vorteile. Ein Vorteil besteht darin, dass* ...

10 Satzbau: Position von *nämlich*: nur in der Satzmitte, ab Position 3

11 Rechtschreibung: ß ≠ ss

12 Singular/Plural: *der Vorteil, -e*

13 Sinn: das Nomen *Umwelt* ist kein Vorteil

14 Superlativ: *der wichtigste Vorteil*

15 Überleitungen zwischen den Sätzen ergänzen

16 Wiederholungen vermeiden durch Bezugswörter, z. B. Pronomen, Adverbien

17 Adjektivdeklination: *teuer*, attributiv: *teure-*

18 Argumente nicht einfach aufzählen, sondern in Sätzen ausformulieren und belegen

19 Artikel fehlt

20 Ausdruck: *andererseits*; passender zum vorherigen Abschnitt: *auf der anderen Seite*

21 Passiversatz mit Adjektiv auf *-bar* = *können*, passt hier nicht

22 Singular/Plural: *die Elektromobilität, /* → „nicht zählbare" Sammelbezeichnung, also kein Plural

23 Satzbau: Verbposition: Relativsatz = Nebensatz

Schluss

24 Ausdruck: Bedeutung *als letztes ≠ abschließend, zusammenfassend, alles in allem*

25 Antwort auf die zentrale Frage fehlt

26 Artikel: *das Heimatland,* ☐*er* ↔ *die Heimat, /*

27 Ausdruck: *Händler* = Person, hier: Autohandel/Autogeschäft für Elektroautos

28 Ausdruck: *alles in allem*

29 Zeichensetzung: überflüssiges Komma zwischen Position 1 und 2

30 nicht schreiben, was man tun soll, sondern es tun

31 Sinn/Zusammenhang? *schön*

32 Rechtschreibung: *etw.* (A) *eröffnen* mit Umlaut

33 Schlusssatz

d) Korrigieren Sie den Text. Schreiben Sie ihn dazu in Ihr Heft.

3 VON DER FLÜSTERTÜTE ZUM SMARTPHONE II

Hören Sie den zweiten Teil des Vortrags zweimal und bearbeiten Sie die Aufgaben. → KB 36, 6c)

1 Folgende Aussagen sind inhaltlich falsch. Korrigieren Sie die Fehler.

a Telefone wurden ~~teurer~~ und waren nicht für die breite Masse zugänglich.

Telefone wurden

b Telefone hatten ~~schon immer~~ einen Telefonhörer, durch den man nach einigen Optimierungen abwechselnd sprechen und hören konnte.

c Mit Standgeräten kann man von unterwegs telefonieren.

2 Warum war die Erfindung von Handys ein „Riesenschritt"?

3 Ergänzen Sie die Daten zu Smartphones.

• Anzahl der Nutzer weltweit:

• Anzahl der Nutzer deutschlandweit:

• deutsche Nutzer, die täglich mit dem Smartphone telefonieren (in Prozent):

4   Welche Beispiele zur Smartphone-Nutzung nennt die Referentin neben dem Telefonieren?

-
-
-

5   Die Referentin bezeichnet das Smartphone als ein „externes Gehirn". Erklären Sie, was sie damit meint.

4   GUTE ALTE E-MAIL

 Sie erhalten von Ihrem Freund Andrej eine E-Mail. Lesen Sie die E-Mail und antworten Sie.

Von: andrej@brief.de
Betreff: Kein Instant-Messenger mehr!
An: svenja@brief.de

→ Antworten   → Weiterleiten   ⊘ Löschen

Hallihallo Svenja,

zurück zur guten alten E-Mail. Warum nicht? Ich wollte dir mitteilen, dass ich nicht mehr bei dem Messenger Whatsnew bin. Ab sofort kannst du mich „nur noch" telefonisch, per E-Mail oder per SMS erreichen. Jetzt fragst du dich sicherlich, warum? Ich muss zugeben, dieses Programm ist schon sehr praktisch und

5   es machte mir auch Spaß, darüber in Kontakt mit Freunden zu bleiben. Aber mit der Zeit hat mich eine Sache immer mehr gestört und am Ende sogar richtig gestresst: Wenn ich eine Nachricht gelesen habe, kann der Absender das durch die zwei gelben Sternchen sehen. Ich habe dadurch richtig Druck gehabt, auch immer gleich zu reagieren und eine Antwort zu schicken. Manche Leute erwarten das auch, sobald sie die zwei Sternchen sehen. Und ich muss sagen, manchmal dachte ich mir auch bei anderen „Warum

10   antwortet er mir denn nicht? Er hat es doch gelesen!". Man ist heutzutage ständig erreichbar – das ist in Ordnung. Aber man muss nicht ständig sofort antworten, finde ich. Ich hoffe, du kannst meine Entscheidung nachvollziehen. Mich würde auch deine Meinung zu diesem Thema sehr interessieren und ich freue mich über E-Mails!

LG Andrej

5   WISSENSCHAFTLICHES ARBEITEN

a)   Lesen Sie den Text zum Zitieren im wissenschaftlichen Kontext und markieren Sie Schlüsselwörter. Bearbeiten Sie anschließend die Aufgaben zum Text.

Quellenverzeichnis

Sowohl bei der Erstellung eines Handouts als auch dem Verfassen einer schriftlichen Arbeit im Studium ist es wichtig, wissenschaftlich zu arbeiten. Dazu zählt, dass Leser das Gesagte/Geschriebene eindeutig nachvollziehen und bei Zweifeln auch im Originaltext wiederfinden können. Damit dies möglich

5   ist, müssen alle Quellen (Internetseiten, Texte, Bücher etc.), deren Inhalte man für die wissenschaftliche Arbeit verwendet hat, in einem Quellenverzeichnis aufgeführt werden.

Zitierfähigkeit

Darf man alle Texte als wissenschaftlichen Beleg anführen? Die Antwort lautet nein! Im Wesentlichen hängt die Zitierfähigkeit, also die wissenschaftliche Nutzbarkeit einer Quelle, erstens davon ab, ob sie

10   offiziell veröffentlicht wurde, und zweitens, wie sorgfältig der Quelltext selbst erstellt wurde, wie seriös also die Quelle ist.

Als Faustregel gilt, dass Zeitungen, Zeitschriften und Bücher, die bei einem anerkannten Verlag erschienen sind, in wissenschaftlichen Werken zitiert werden dürfen. Texte, die in einem sogenannten Eigenverlag (Selfpublishing) erschienen oder gar nicht offiziell veröffentlicht worden sind, sollten da-

15   gegen nicht zitiert werden.

Bei Quellen aus dem Internet ist die Lage etwas komplizierter. Zwar verwenden auch Online-Autoren, z. B. Blogger, Fachliteratur bzw. Forschungsergebnisse, jedoch wird auf solchen Seiten oft nicht auf die Quellen verwiesen. Die erste Regel lautet daher: Hat eine Webseite wenige oder gar keine Quellenangaben, ist sie nicht zitierfähig. Auch Online-Texte, die im Laufe der Zeit häufiger bearbeitet oder

20   verändert wurden (z. B. Wikis), können nicht als wissenschaftliches Zitat dienen. Texte, die anerkannte Verlage, Behörden oder seriöse Organisationen auf ihren Internetseiten veröffentlichen, dürfen hingegen genutzt werden.

Allerdings muss noch darauf hingewiesen werden, dass es zum Teil auch vom Studiengang abhängt, ob eine Internetquelle als Beleg herangezogen werden darf. Im Zweifel sollte man also mit einem An-

25   sprechpartner an der Hochschule absprechen, welche Internetquellen zulässig sind.

1   Richtig oder falsch? Kreuzen Sie an.

R	F	1	Wissenschaftliches Arbeiten bedeutet unter anderem, dass man ein Quellenverzeichnis erstellt.
R	F	2	Für Handouts ist ein Quellenverzeichnis nicht nötig.
R	F	3	Alle Texte, die man zu einem Thema gelesen hat, müssen ins Quellenverzeichnis aufgenommen werden.

2   Ergänzen Sie die Tabelle. Nicht alles lässt sich eindeutig zuordnen.

Artikel der Professorin in einer Fachzeitschrift   Artikel einer Online-Zeitung   Bachelorarbeit eines Kommilitonen
Buch aus der Universitätsbibliothek   Buch des Professors   Eintrag auf einem Blog   Fachzeitschrift
Sammelband von mehreren Wissenschaftlern   selbst erstellte wissenschaftliche Umfrage   Wiki-Artikel
wissenschaftliche Arbeit auf einer Selfpublishing-Webseite   Zeitungsartikel

zitierfähig	nicht zitierfähig

b)   Gehen Sie auf die Suche nach verschiedenen Informationen zum Thema Elektromobilität und notieren Sie die Quellen. Entscheiden Sie jeweils, ob es sich dabei um eine zitierfähige Quelle handelt oder nicht.

6 FETTNÄPFCHEN

a) Wo passen die Verben am besten? Ordnen Sie sie zu und besprechen Sie die Bedeutung der Ausdrücke im Kurs.

begehen treten (2x) ~~überschreiten~~ verletzen wahren ziehen

1 eine Grenze   *überschreiten*

2 jmdm. auf die Füße

3 einen Tabubruch

4 ins Fettnäpfchen

5 Rückschlüsse

6 eine Regel

7 das Gesicht

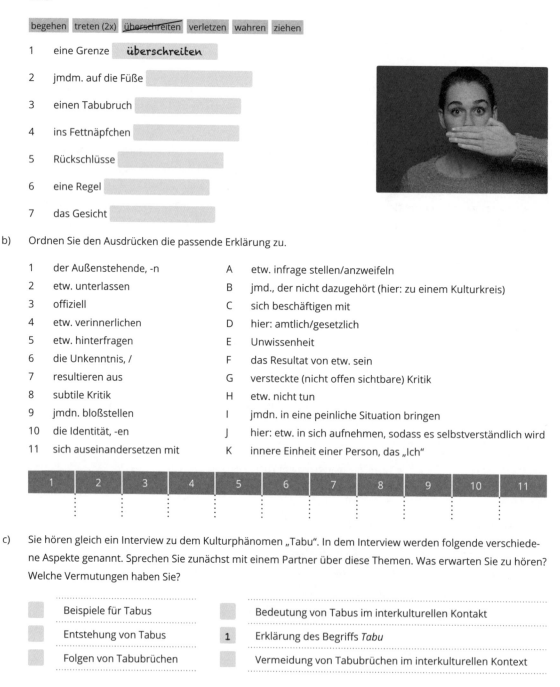

b) Ordnen Sie den Ausdrücken die passende Erklärung zu.

1	der Außenstehende, -n	A	etw. infrage stellen/anzweifeln
2	etw. unterlassen	B	jmd., der nicht dazugehört (hier: zu einem Kulturkreis)
3	offiziell	C	sich beschäftigen mit
4	etw. verinnerlichen	D	hier: amtlich/gesetzlich
5	etw. hinterfragen	E	Unwissenheit
6	die Unkenntnis, /	F	das Resultat von etw. sein
7	resultieren aus	G	versteckte (nicht offen sichtbare) Kritik
8	subtile Kritik	H	etw. nicht tun
9	jmdn. bloßstellen	I	jmdn. in eine peinliche Situation bringen
10	die Identität, -en	J	hier: etw. in sich aufnehmen, sodass es selbstverständlich wird
11	sich auseinandersetzen mit	K	innere Einheit einer Person, das „Ich"

1	2	3	4	5	6	7	8	9	10	11

c) Sie hören gleich ein Interview zu dem Kulturphänomen „Tabu". In dem Interview werden folgende verschiedene Aspekte genannt. Sprechen Sie zunächst mit einem Partner über diese Themen. Was erwarten Sie zu hören? Welche Vermutungen haben Sie?

	Beispiele für Tabus		Bedeutung von Tabus im interkulturellen Kontakt
	Entstehung von Tabus	1	Erklärung des Begriffs *Tabu*
	Folgen von Tabubrüchen		Vermeidung von Tabubrüchen im interkulturellen Kontext

d) Hören Sie das Interview zum ersten Mal und bringen Sie die Themen in die richtige Reihenfolge.

e) Hören Sie das Interview noch einmal und bearbeiten Sie die Aufgaben.

1 Richtig oder falsch? Kreuzen Sie an.

R	F	1	Herr Steinberger besuchte schon viele Kurse für interkulturelle Kommunikation, um Menschen anderer Kulturen besser verstehen zu können.
R	F	2	Tabus legen fest, was man nicht machen darf.
R	F	3	Tabus stimmen mit den Gesetzen eines Landes überein.
R	F	4	Eine Konvention entsteht dadurch, dass eine Handlung oder Sprache wiederholt im selben Kontext vorkommt.
R	F	5	Tabus und Konventionen sind so stark verinnerlicht, dass man sie nicht hinterfragt.

2 Beantworten Sie die Fragen und vergleichen Sie anschließend im Kurs.

1 Warum kommt es in interkulturellen Kontaktsituationen zu Tabuverletzungen?

2 Welche zwei Beispiele für Tabus werden genannt?

in Deutschland (im Unterschied zu China):

in Asien:

3 Welche Aussage stimmt mit dem Text überein? Kreuzen Sie an.

1 Ein Tabubruch kann zur Folge haben, ...

A	dass eine Person körperlich verletzt wird.
B	dass die Identität einer Person angegriffen wird.
C	dass ein gefährlicher Streit entsteht.

2 Um einen Tabubruch zu vermeiden, ...

A	muss man sich mit der fremden Kultur beschäftigen.
B	muss man kompetente Fragen stellen.
C	sollte man intuitiv entscheiden.

f) Sprechen Sie mit Ihrem Partner über den Inhalt des Interviews. Nehmen Sie als Hilfe Ihre Ergebnisse aus den Aufgaben c)–e). Was haben Sie zu den einzelnen Themen verstanden? Was haben Sie vielleicht nicht verstanden?

Zuerst erklärt Herr Steinberger, was Tabus sind. Das sind wohl Gesetze, die in bestimmten Kulturkreisen gelten. Hast du verstanden, was er zu diesen Gesetzen noch gesagt hat?

Ja, ich glaube, diese Gesetze beziehen sich auf Handlungen und Kommunikation, also darauf, was man sagt oder macht.

7 KREATIVITÄT LEBEN

a) Lesen Sie die 10 Überschriften (A–J) und entscheiden Sie, welche der Überschriften am besten zu den Texten 1–5 passen.

A   Einstieg in die Sambawelt für Trommelneulinge

B   Homeoffice-Alternative in Düsseldorfer Co-Working-Space

C   Gründer aufgepasst: Unternehmensberatung expandiert nun international

D   *Coworki* sucht neue Mitarbeiter

E   Salzmine lädt junge Künstler zum Mitmachen ein

F   Trommeln für den kulturellen Austausch: Brasilianische Sambagruppe zeigt ihr Können

G   Gründerwettbewerb verspricht wieder einmal 30.000 Euro Siegerprämie

H   Filament in der Kritik: Umweltfreundlichkeit umstritten

I   Kunst in der Salzmine: Ausstellung regionaler Kunstschaffender öffnet ihre Tore

J   Recyceltes Filament bietet grüne Alternative

1 ☐

In einem Dorf in Ostthüringen ist ein Ausstellungsraum der ganz besonderen Art entstanden. Das besondere Ambiente einer seit Jahren verlassenen Salzmine nutzen die fünf lokalen Kunstschaffenden Dorothea Koch, Carmen Romero, Vincent Richter, Gerd Maximilian Bauer und Deniz Özdemir zur
5   Ausstellung ihrer Kunstwerke. Die Ausstellung steht unter dem Oberbegriff „Schaffensgeschichte" und beschäftigt sich mit dem Thema Kreativität, Schaffen und Schöpfen in der Kunst.

Sowohl Bildhauerei, Druckgrafik und Acrylmalerei als auch diverse eindrucksvolle Installationen werden in den kommenden Monaten im Kunstatelier *Salzgehalt* in der Salzmine ausgestellt. Die Werke der Künstler werden von direkten und indirekten Lichtquellen angestrahlt und in Szene gesetzt.

10   Die Ausstellung der fünf Thüringer Künstler feiert am 31.10. um 20:00 Uhr Eröffnung. Im November und Dezember ist die Ausstellung täglich zwischen 10:00 Uhr und 18:00 Uhr für Besucher geöffnet. Der Eintritt ist frei. Spenden zum Erhalt der Kunst sind willkommen. Sie finden das Kunstatelier *Salzgehalt* in der Salzmine unter folgender Adresse: Auf der Ronne 20, 8976 Ziegenbrück.

2 ☐

„Brasilianische Samba-Rhythmen gepaart mit mittelamerikanischem Reggae, bei uns ist alles dabei, was das Trommlerherz höherschlagen lässt", betont Uwe Lehmann, der Leiter der Sambagruppe *Ritmo da Bahia*, die sich jeden Mittwoch im Gemeindesaal in Krüchten trifft, um den Rhythmus und die
5   Leidenschaft Brasiliens aufleben zu lassen. Die Gruppe besteht aus etwa 40 Trommlern, die auf den verschiedenen Percussioninstrumenten brasilianische Musikstücke zum Besten geben. Bei Auftritten werden die Musiker von Samba-Tänzerinnen und -Tänzern in traditionellen Kostümen ausdrucksstark begleitet.

„Unsere Musik zeugt von Lebensfreude und Spaß", erklärt Uwe Lehmann. „Trotzdem ist sie auch mit
10   harter Arbeit verbunden. Wir nehmen das Proben ernst, denn wir haben regelmäßig Auftritte, bei denen wir professionell unser Können unter Beweis stellen."

Die Sambagruppe sucht auf diesem Weg nach neuen Mitgliedern. Alle Rhythmus- und Trommelbegeisterten dürfen gern mittwochs um 20:00 Uhr im Gemeindesaal vorbeischauen. „Musikalisches Vorwissen braucht man keins", betont der Gruppenleiter. „Wir finden gemeinsam raus, welches Trom-
15   melinstrument zu den neuen Teilnehmern passt. Nach und nach findet jeder automatisch seinen musikalischen Platz in unserer Gruppe."

3

Arbeiten im Homeoffice ist heute selbstverständlicher denn je – doch oft sprechen viele gute Gründe gegen die Arbeit in den eigenen vier Wänden: So manchem fehlen der Austausch und das Zusammensein mit Kollegen. Andere sehnen sich nach einer klaren Trennung von Arbeits- und Freizeit. Wieder
5 andere brauchen externe Räumlichkeiten, um Kunden empfangen zu können.

Für all diese Probleme bietet *Coworki* die Lösung: anmietbare Arbeitsplätze im Großraumbüro in der Düsseldorfer Innenstadt. Für Besprechungen stehen unseren Kunden zwei geräumige Konferenzräume zur Verfügung, die bei Bedarf von unseren *Coworkis* reserviert werden können. Unsere Räumlichkeiten sind außerdem mit einer Gemeinschaftsküche sowie einem Gemeinschaftsbad mit Dusch-
10 gelegenheit ausgestattet. Alle Arbeitsplätze verfügen über einen Strom- und Internetanschluss. Die Räumlichkeiten sind zwischen 07:00 Uhr und 22:00 Uhr für alle Mieter frei zugänglich.

Die Kosten für den Platz im Großraumbüro belaufen sich auf 345 Euro/Monat. Strom, Internet und nette Tischnachbarn sind inklusive. Wenden Sie sich bei Interesse an Soufian Habib: s.habib@p-mail.de. Wir freuen uns auf neue Kollegen!

4

Schon gewusst? Filament – so heißt das Kunststoffgemisch, das für den 3-D-Druck zum Einsatz kommt – bildet die Grundlage für dreidimensionale Druckerzeugnisse. Die Nachfrage nach Filament ist in den letzten Jahren stark gestiegen, denn 3-D-Drucker werden immer erschwinglicher und damit beliebter.

5 Leider hat der 3-D-Druck jedoch keinen besonders umweltfreundlichen Ruf, denn die Kunststoffe, aus denen das Filament hergestellt wird, werden meist eigens dafür produziert. Sie lassen den Berg an Kunststoffabfällen, der in unserem Alltag anfällt, also noch zusätzlich wachsen.

Die Firma *Filagreen* will der starken Umweltbelastung durch Filament nun entgegenwirken. Ihre Geschäftsidee besteht darin, recycelten Kunststoff zur Produktion von Filament zu nutzen. Die Firma
10 bezieht den aufbereiteten Kunststoff sauber und sortenrein von einem benachbarten Recyclingunternehmen. Das umweltfreundliche Filament von *Filagreen* kann ab ca. 30 Euro pro Rolle unter www.filagreen-webshop.com erworben werden.

5

Studierende aufgepasst: Habt auch ihr immer wieder Geschäftsideen, wisst aber einfach nicht, wie ihr diese in die Tat umsetzen sollt? Fehlt euch vielleicht auch das Geld, um eure Ideen zu realisieren? Dann ist unser Wettbewerb vermutlich genau das Richtige für euch.

5 Das international erfolgreiche Startup-Center unserer Unternehmensberatung *Exclusive Concept Consulting* hat auch in diesem Jahr wieder 30.000 Euro für die beste Studierendenidee ausgeschrieben. Folgende Kriterien solltet ihr für eure Teilnahme beachten: Bei eurer Idee sollte es sich um ein skalierbares Geschäftsmodell handeln, d. h. eure Idee sollte auch auf internationalen Märkten funktionieren. Zweitens müsst ihr sichergehen, dass eure Idee wirklich einzigartig und innovativ ist. Drittens müsst
10 ihr bereit sein, für die Umsetzung eurer Idee alles zu geben, d. h. auch, einen Großteil eurer Freizeit in die Entwicklung eurer Geschäftsidee zu stecken.

Erfüllt ihr all diese Kriterien? Und könnt ihr euch vorstellen, auf eurem Weg von unserem Team unterstützt zu werden? Dann stellt uns euer Konzept knapp und anschaulich per E-Mail vor: meine-idee@ec.consulting.de. Einsendeschluss ist der 15. November.

b) Sie arbeiten im Marketing einer Werbeagentur und haben die Aufgabe, Flyer für die Texte 1–5 zu entwerfen. Die Flyer sollen die wichtigsten Informationen knapp zusammenfassen. Ergänzen Sie die Lücken in Flyer Nr. 1. Entwerfen Sie dann vier weitere Flyer für die restlichen Texte.

Was?	Kunstausstellung in verlassener _____	
Wer?	lokale _____	
_____	kunstbegeisterte Personen	
Wann?	Eröffnung am 31.10. um 20 Uhr;	
	im _____ und Dezember _____ 10 bis 18 Uhr	
_____	Kunstatelier *Salzgehalt*: Auf der Ronne 20, 8976 Ziegenbrück	
Sonstiges?	freier Eintritt, _____ willkommen	

c) Sie haben einen Freund, für den einer der Texte aus a) interessant sein könnte. Senden Sie ihm eine Sprachnachricht, in der Sie ihm davon erzählen und erklären, inwiefern das für ihn von Interesse sein könnte. Spielen Sie Ihrem Partner die Nachricht vor und hören Sie seine. Wurden alle wichtigen Informationen wiedergegeben?

8   VORSICHT MÄRCHEN

a) Lesen Sie den Text. Welche der unten angegebenen Wörter passen in die Lücken? Kreuzen Sie an.

Das Internet ist voll mit eigenartigen und falschen Behauptungen. Da gibt es Gruppen, die behaupten, die Erde ___1___ eine Scheibe, andere Leute schüren die Angst vor einer geheimen Weltregierung und die nächsten behaupten, die Politik werde von Aliens beherrscht.

Viele Menschen ___2___ sich deshalb lieber auf das, was in Büchern geschrieben steht. Doch auch hier muss man manchmal vorsichtig sein. Manche Bücher, die so tun, als wären sie wissenschaftliche Abhandlungen oder seriöse Biografien, sind einfach frei erfunden.
So beschreibt Wolfgang Hildesheimer in seinem Buch „Marbot. Eine Biographie" das Leben und die erstaunlichen Erkenntnisse des englischen Adeligen Andrew Marbot, der als ___3___ Goethes und Lord Byrons durch Europa reiste und eine interessante ___4___ Theorie entwickelte. In Einträgen in Tagebüchern, Zitaten aus Briefen und Reiseberichten beschreiben berühmte Gelehrte, Dichter und Künstler aus jener Zeit den sonderlichen Engländer, dessen Mutter auch eine besondere Rolle ___5___. Das Interessante an der Geschichte ist ___6___, dass es Marbot nie gegeben hat und dass alle Zitate und Belege seiner Existenz frei erfunden sind.

Noch interessanter ist aber ein anderer Text. Jeder kennt das Märchen von Hänsel und Gretel, den Geschwistern, die von ihren Eltern im Wald zurückgelassen werden und dann zu einem Haus aus Kuchen gelangen, ___7___ eine böse Hexe lebt. In dem Buch „Die Wahrheit über Hänsel und Gretel" geht der Autor Hans Traxler der Frage ___8___, ___9___ die Geschichte wirklich so stattgefunden haben könnte. ___10___ verschiedener wissenschaftlicher Untersuchungen des Märchenarchäologen Georg Ossegg beweist er, dass das Hexenhaus wirklich existiert hat und ___11___ von Dokumenten aus Archiven wird gezeigt, dass eine berühmte Zuckerbäckerin damals als Hexe angeklagt und verbrannt wurde.

Doch auch diese Geschichte ist von vorn bis hinten erfunden. Es gibt keine Untersuchungen, die in einem Wald in der Nähe des Geburtsortes der berühmten Märchensammler Jacob und Wilhelm Grimm besonders hohe Konzentrationen von Gewürzen und Zucker ___12___. Es gibt auch keine historischen Aufzeichnungen, die belegen, dass eine Frau aus Nürnberg, deren Lebkuchen besonders berühmt [13] , in jene Gegend umziehen musste und allein in einem Wald gelebt hat. Auch die historischen Wetterdaten, [14] der Autor schließt, dass es in jenem Jahr besonders kalt gewesen sein muss, entstammen seiner eigenen Fantasie. Selbst den „Wissenschaftler" Ossegg hat es nie [15] .

Aus diesen Beispielen lernen wir, dass auch [16] zwischen zwei Buchdeckeln steht, unbedingt [17] ist.

		A			B			C			D	
1		war			bestehe aus			sei			sind	
2		entlassen			verlassen			belassen			überlassen	
3		Zeitengenosse			Zeitsgenosse			Zeitgenosse			Zeitungsgenosse	
4		ästetische			ästethische			ästhethische			ästhetische	
5		war			brachte			machte			spielte	
6		allerdings			überhaupt			eigentlich			einigermaßen	
7		in den			in dem			in denen			in die	
8		auf			an			vor			nach	
9		wohin			bis wann			wenn			ob	
10		Durch			Anhand			Alsbald			Allerhand	
11		mithilfe			meinetwegen			mittlerweile			mindestens	
12		vorweisen			nachweisen			unterweisen			abweisen	
13		waren			wären			sind			sei	
14		aus die			aus denen			aus dem			aus den	
15		gab			geben			gegebt			gegeben	
16		das, was			was, das			dieses, der			dessen, der	
17		überzuprüfen			zu überprüfen			überprüfbar			überprüfen	

b) Schreiben Sie nun selbst ein Märchen bzw. eine frei erfundene Geschichte, die auf den Leser möglichst real wirken soll. Sie können eins der vorgeschlagenen Themen wählen, wenn Ihnen selbst nichts einfällt.

- Kinderkunst-Räuber von Erlangen: Bilderklau im Kindergarten
- Sprachen-Genie: Diese Frau spricht alle Sprachen dieser Welt
- Die Aliens kommen: Ufo über Köln gesichtet

9 MONDFAHRT

Setzen Sie in den folgenden Text die Verben in der richtigen Form ein. Achten Sie auf das Tempus (*zu* + Infinitiv = eine Lücke). Auch Konjunktivformen sind möglich.

Der Wettlauf zum Mond

1 In den 1950er-Jahren **starteten** die beiden Großmächte USA und UdSSR den Wettstreit um das erste bemannte Raumschiff im All. (starten)

2 Es _____ lange so _____ , als ob die USA der Sowjetunion technisch voraus _____ . (aussehen, sein)

3 Diese Auffassung _____ auf der Tatsache, dass von den USA herausragende Techniker _____ _____ , wie z. B. der Raketeningenieur Wernher von Braun. (basieren, verpflichten)

4 Wernher von Braun _____ zuvor im Zweiten Weltkrieg auf deutscher Seite eine Rakete _____ . Diese _____ als Grundlage für den Bau der ersten US-amerikanischen Weltraumrakete. (entwickeln, dienen)

5 Überraschenderweise _____ es allerdings die Sowjetunion, von welcher Sputnik 1, der erste Satellit im Weltraum, am 4. Oktober 1957 ins All _____ _____ . (sein, schießen)

6 Trotzdem _____ die NASA weiterhin im Rahmen des Projekts Mercury daran, den Wettlauf um den ersten Menschen im Weltall _____ . (arbeiten, gewinnen)

7 Doch auch hier _____ die Sowjets die Nase vorn: Am 12. April 1961 _____ der Kosmonaut Jurij Gagarin mithilfe der Wostok-1-Rakete in den Weltraum _____ . (haben, bringen)

8 Daraufhin _____ _____ die USA damit, ihren ersten Raumflug _____ . (sich beeilen, planen)

9 Alan Shepard _____ am 5. Mai 1961 dadurch Weltruhm, dass er als erster Amerikaner von einer Mercury-Rakete ins Weltall _____ _____ . (erlangen, befördern)

10 Nach diesem Erfolg _____ das erklärte Ziel von Präsident John F. Kennedy, vor den Sowjets einen Menschen auf den Mond _____ . (sein, schicken)

11 Aber schon wieder schienen die Sowjets diesem Ziel näher zu sein, denn der Kosmonaut Alexej Leonow _____ am 18. März 1965 während eines Raumflugs seine Raumkapsel _____ und so _____ er nur an einer Leine gesichert durch den Kosmos. (verlassen können, fliegen)

12 Kritische Stimmen _____ in den USA _____ , weil es _____ , dass der Vorsprung der UdSSR uneinholbar _____ . (sich breitmachen, heißen, sein)

13 Das Projekt Gemini _____ von den USA weiter _____ , denn es _____ _____ _____ , wie man zwei Astronauten gleichzeitig ins All _____ _____ . (vorantreiben, erforschen sollen, bekommen können)

14 Im Rahmen des Gemini-Projekts ▒▒▒▒ Manöver und Tests ▒▒▒▒▒▒, die für den

von den USA geplanten Spaziergang auf dem Mond unbedingt nötig ▒▒▒▒. (durchführen, sein)

15 Zunächst ▒▒▒▒ aber die Sowjets weitere Fortschritte. Sie ▒▒▒▒ eine unbe-

mannte Raumkapsel zur Rückseite des Mondes, um sie ▒▒▒▒. (machen, senden,

fotografieren)

16 Außerdem ▒▒▒▒ sie es vor den Amerikanern, am 16. Januar 1969 zwei Raumkapseln im All

▒▒▒▒. (schaffen, verbinden)

17 Die Amerikaner ▒▒▒▒ die Ergebnisse, die sie mit dem Gemini-Projekt

▒▒▒▒, für die Vorbereitung auf ihre Mondmission, die den Namen Apollo ▒▒▒▒. (nutzen,

gewinnen, tragen)

18 Allerdings ▒▒▒▒ ein schrecklicher Unfall, der die folgenden Apollo-Missionen zum Scheitern

▒▒▒▒ ▒▒▒▒. (geschehen, bringen können)

19 Bei einer Routineübung ▒▒▒▒ die Apollo-1-Kapsel plötzlich Feuer. Drei Astronauten

▒▒▒▒ bei diesem Unglück. (fangen, sterben)

20 Aber auch beim Raumfahrtprogramm der Sowjets ▒▒▒▒ es Rückschritte, denn die Sojus-Raketen,

die für den bemannten Raumflug ▒▒▒▒ ▒▒▒▒, ▒▒▒▒ ▒▒▒▒

als unzuverlässig. (geben, vorsehen, sich zeigen)

21 Die Trägerrakete N-1 ▒▒▒▒ auch keinen Erfolg. Die Testflüge mit ihr ▒▒▒▒ als

gescheitert ▒▒▒▒ ▒▒▒▒. (bringen, ansehen müssen)

22 Etwa zu diesem Zeitpunkt, nämlich Ende des Jahres 1968, ▒▒▒▒ die USA Apollo 8, die

erste bemannte Raumkapsel, die es ▒▒▒▒, den Mond ▒▒▒▒, ins Weltall.

(schicken, schaffen, umrunden)

23 Im Juli 1969 ▒▒▒▒ dann das, worauf die Amerikaner seit Jahrzehnten ▒▒▒▒

▒▒▒▒: Apollo 11 ▒▒▒▒ es, drei Astronauten zum Mond ▒▒▒▒.

(gelingen, hinarbeiten, schaffen, befördern)

24 Am 20. Juli 1969 ▒▒▒▒ Neil Armstrong als erster Mensch den Mond. (betreten)

25 Alle weiteren Versuche der Sowjetunion, ein bemanntes Raumschiff auf dem Mond ▒▒▒▒

▒▒▒▒, ▒▒▒▒ *fehl*. (landen lassen, fehlschlagen)

26 Daraufhin ▒▒▒▒ ▒▒▒▒ die Sowjetunion in den nächsten Jahren auf die

Konstruktion von bemannten Raumstationen. (sich konzentrieren)

10 RELATIVSÄTZE – HALLO SAM

Ergänzen Sie die passenden Relativpronomen, manchmal mit Präposition. Ergänzen Sie bei Relativsätzen mit *wer* ggf. auch das Demonstrativpronomen im Hauptsatz. Manche Lücken bleiben leer (/).

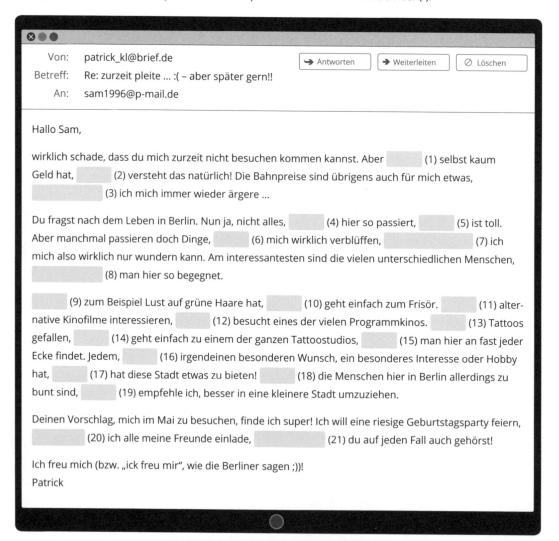

Von: patrick_kl@brief.de
Betreff: Re: zurzeit pleite ... :(– aber später gern!!
An: sam1996@p-mail.de

→ Antworten   → Weiterleiten   ⊘ Löschen

Hallo Sam,

wirklich schade, dass du mich zurzeit nicht besuchen kommen kannst. Aber _____ (1) selbst kaum Geld hat, _____ (2) versteht das natürlich! Die Bahnpreise sind übrigens auch für mich etwas, _____ (3) ich mich immer wieder ärgere ...

Du fragst nach dem Leben in Berlin. Nun ja, nicht alles, _____ (4) hier so passiert, _____ (5) ist toll. Aber manchmal passieren doch Dinge, _____ (6) mich wirklich verblüffen, _____ (7) ich mich also wirklich nur wundern kann. Am interessantesten sind die vielen unterschiedlichen Menschen, _____ (8) man hier so begegnet.

_____ (9) zum Beispiel Lust auf grüne Haare hat, _____ (10) geht einfach zum Frisör. _____ (11) alternative Kinofilme interessieren, _____ (12) besucht eines der vielen Programmkinos. _____ (13) Tattoos gefallen, _____ (14) geht einfach zu einem der ganzen Tattoostudios, _____ (15) man hier an fast jeder Ecke findet. Jedem, _____ (16) irgendeinen besonderen Wunsch, ein besonderes Interesse oder Hobby hat, _____ (17) hat diese Stadt etwas zu bieten! _____ (18) die Menschen hier in Berlin allerdings zu bunt sind, _____ (19) empfehle ich, besser in eine kleinere Stadt umzuziehen.

Deinen Vorschlag, mich im Mai zu besuchen, finde ich super! Ich will eine riesige Geburtstagsparty feiern, _____ (20) ich alle meine Freunde einlade, _____ (21) du auf jeden Fall auch gehörst!

Ich freu mich (bzw. „ick freu mir", wie die Berliner sagen ;))!
Patrick

11 ZUKUNFTSVISIONEN

Wie stellen Sie sich die Zukunft vor? Technisch, sozial, ökologisch? Schreiben Sie einen Text von ca. 200 Wörtern. Wählen Sie aus den folgenden Fragen zwei bis drei aus, die Ihnen am interessantesten erscheinen.

- Welche technischen Entwicklungen sind vorstellbar?
- Wie werden sich die Menschen fortbewegen?
- In welchem Zustand befindet sich die Umwelt?
- Wie könnte die Energieversorgung aussehen?
- Wird es Heilungsmöglichkeiten für heute noch meist tödliche Krankheiten geben?
- Welche Wohnformen wird es geben? In welchen Konstellationen werden die Menschen zusammenleben?

Entwickeln Sie eine Zukunftsvision, die nicht unbedingt vollkommen realistisch sein muss. Ein wenig Science-Fiction macht auch Spaß ...

12   SICH EINIGEN – ELEKTROAUTO

Sie und Ihr Mitbewohner wollen sich gemeinsam ein Auto anschaffen. Zur Diskussion stehen ein Elektroauto und ein Benzinauto. Sprechen Sie mit Ihrem Mitbewohner über die Vor- und Nachteile des jeweiligen Autotyps und einigen Sie sich: Welches Auto wollen Sie kaufen? Bedenken Sie dabei folgende Aspekte.

Elektroauto	Benzinauto

- teuer in der Anschaffung
- nur eingeschränkt umweltfreundlicher
- keine weiten Strecken möglich
- angewiesen auf Ladestationen
- geräuscharm

- günstiger in der Anschaffung
- höherer CO_2-Ausstoß
- auch für längere Fahrten geeignet
- in manchen Städten Fahrverbote für gewisse Benzinfahrzeuge
- laut

1 KINDERLÄHMUNG

a) Lesen Sie den Text und ordnen Sie die Überschriften den Abschnitten zu. Nicht alle Überschriften passen.

Ausbreitung der Krankheit   Die Erfolge von Karl Oskar Medin   Entwicklung des Virus   Entwicklung einer Schluckimpfung
Entwicklung einer Spritzimpfung   Epidemien in der Geschichte   Erfolge durch die Impfforschung   Polio heute
Post-Polio-Syndrom   Sterblichkeit bei Polio   Symptome der Krankheit

1

Bei der Poliomyelitis, kurz Polio oder auch Kinderlähmung genannt, handelt es sich um eine Viruskrankheit, die eine akute Nervenlähmung hervorrufen kann. Sie tritt meist bei Kindern unter 5 Jahren
5 auf. Erwachsene infizieren sich seltener damit. Durch eine konsequente Impfpolitik gilt die Krankheit in Deutschland als ausgerottet, und auch die meisten anderen Länder dieser Welt sind inzwischen frei von Polio. Vereinzelt werden jedoch noch Ausbrüche der Krankheit gemeldet, zuletzt etwa im asiatischen Raum.

10 **2**

Die meist über Schmier- oder Tröpfcheninfektion übertragene Krankheit hat viele Gesichter: Während das Polio-Virus bei etwa 95 % aller Infizierten asymptomatisch verläuft, d. h. ohne das Auftreten von Krankheitssymptomen[1], treten in anderen Fällen sehr unterschiedliche Symptome auf. Bei 4–8 % der Betroffenen kommt es unter anderem zu Fieber, Übelkeit oder Erbrechen, was meist nach einigen
15 Tagen wieder abklingt. Bei anderen dagegen (ca. 2–4 % aller Betroffenen) greift die Erkrankung auf das zentrale Nervensystem über, sodass die Patienten schwerere Symptome wie Rückenschmerzen und Muskelkrämpfe entwickeln. Nur bei etwa 1 % der Patienten mit symptomatischem Verlauf entwickelt sich eine schwere Verlaufsform mit Atem- und Schluckstörungen[2] sowie Lähmungserscheinungen[3], die z. B. die Arm-, Bauch- und Augenmuskeln betreffen können. Bei einer schweren Verlaufsform der
20 Polioerkrankung liegt die Sterblichkeitsrate bei 2–20 %. Auch wenn sich die Symptome der schweren Verlaufsform wieder komplett zurückbilden können, bleiben bei den meisten dieser Patienten dauerhaft Schäden wie Durchblutungsstörungen, Gelenkdeformationen und ein verzögertes Wachstum zurück. Auch nach mehreren Jahren oder Jahrzehnten kann eine Verschlechterung des Gesundheitszustands der Patienten eintreten.

25 **3**

Zum ersten Mal wurde die Kinderlähmung im 19. Jahrhundert in der Literatur beschrieben. Der schwedische Arzt Karl Oskar Medin (1847–1927) erkannte, dass sich die Krankheit epidemisch ausbreitete, indem sie sich von Mensch zu Mensch übertrug. Während Polio vor 1910 noch als seltene Erkrankung galt, kam es insbesondere ab 1910 regelmäßig zu lokalen Epidemien der Krankheit.
30 Zwischen 1910 und 1961 wurden in Deutschland mehr als 120 000 Fälle von Kinderlähmung gemeldet.

4

Nachdem man dem Polio-Virus lange Zeit vollkommen ausgeliefert war, gelang dem Virologen und Impfstoffforscher Jonas Salk (1914–1995) Mitte des 20. Jahrhunderts der Durchbruch: Er entwickelte einen Impfstoff gegen das Polio-Virus, der eine abgetötete Form desselben Virus enthielt und als
35 Injektion[4] verabreicht[5] werden sollte. Nach einer Prüfung des Impfstoffs wurde dieser am 12. April 1955 schließlich durch die US-Behörden als sicher eingestuft und von da an großflächig in den USA eingesetzt.

5

Ein weiteres Forscherteam um Hilary Koprowski und Albert Sabin forschte parallel ebenfalls an ei-

---

[1]das Symptom, -e = Anzeichen einer Krankheit
[2]schlucken = etw. vom Mund in den Magen befördern
[3]die Lähmung, -en = Ausfall der Muskelfunktionen, man kann sich nicht mehr bewegen

[4]die Injektion, -en, die Spritze, -n =
[5]verabreichen = geben

40 nem Impfstoff, der oral⁶ verabreicht werden konnte. Die Schluckimpfung hatte den Vorteil, dass auch in Ländern mit schlechten Hygienebedingungen und mangelhafter medizinischer Infrastruktur flächendeckend geimpft werden konnte. Der Impfstoff wurde auf einem Zuckerwürfel verabreicht. Das konnte im Gegensatz zu einer Injektion auch von medizinisch nicht geschultem Personal durchgeführt werden.

45 6

Durch Salks Durchbruch in der Impfforschung konnte die Anzahl der Polio-Infektionen massiv gesenkt werden. Die Schluckimpfung führte diesen Erfolg weiter fort. So konnten Salk, Koprowski und Sabin große Fortschritte auf dem Weg zur Ausrottung der Krankheit erzielen.

b) Welche der drei Aussagen ist richtig? Kreuzen Sie an.

1 Kinderlähmung ist eine Krankheit, …

A die nur bei Kindern unter 5 Jahren auftritt.

B die weltweit ausgerottet ist.

C die in weiten Teilen der Welt durch Impfungen kontrolliert werden konnte.

2 Die Infektion mit dem Polio-Virus …

A verläuft meist ohne Symptome.

B geht meist mit Fieber, Übelkeit und Erbrechen einher.

C hat oft Lähmungserscheinungen zur Folge.

3 Ein schwedischer Arzt …

A verhinderte die epidemische Übertragung der Krankheit.

B setzte sich mit der Art der Ausbreitung von Polio auseinander.

C übertrug das Polio-Virus von Mensch zu Mensch.

4 Jonas Salk …

A war der erste Forscher, der an einem Impfstoff gegen Polio arbeitete.

B entwickelte einen Schluck-Impfstoff.

C entwickelte einen Impfstoff, in dem das Polio-Virus enthalten war.

5 Der Impfstoff des anderen Forscherteams …

A wurde anders verabreicht als der Impfstoff von Salk.

B sollte vor allem in den USA eingesetzt werden.

C basierte auf einer Zuckerlösung.

6 Erst durch die Impfforschung …

A konnten die Impfungen massiv gesenkt werden.

B konnte Salk die Schluckimpfung entwickeln.

C wurde die Grundlage zur Ausrottung der Krankheit geschaffen.

2   IMPFEN

a) Sie hören gleich einen Vortrag aus einer Informationsveranstaltung zum Thema Impfen. Lesen Sie die Gliederung, hören Sie den ersten Teil des Vortrags und ergänzen Sie die Lücken während des ersten Hörens.

> **Informationsveranstaltung: Impfen**
>
> 1   Begrüßung
>
> 2   Funktionsweise einer ⬚
>
> 3   ⬚ des Impfens
>
> 4   ⬚ des Impfens
>
> 5   ⬚ der modernen Impfforschung

b) Lesen Sie das Glossar zum Hörtext sowie die Aufgaben und hören Sie den zweiten Teil des Vortrags. Bearbeiten Sie dann die Aufgaben zum Text. Sie hören den Text zweimal.

> **Glossar zum Hörtext**
>
> - Pocken, Masern, Tetanus, Malaria = Infektionskrankheiten, die durch Krankheitserreger wie z. B. ein Virus, Bakterium oder einen Parasiten ausgelöst werden. Sie variieren in Symptomen und Verbreitung.
> - das Immunsystem, -e = körpereigenes System zur Abwehr von Krankheitserregern
> - jmdn. überfordern = von jmdm. mehr verlangen, als er leisten kann
> - abschwächen = schwächer machen
> - immun = gegen bestimmte Krankheiten geschützt sein, man kann sie abwehren
> - die Mutation, -en = dauerhafte Veränderung des Erbgutes

1   Was sind Antikörper und wie entstehen sie?

2   Welche Beispiele für Personengruppen mit geschwächtem Immunsystem nennt die Referentin?

- ⬚   • ⬚

3   Ergänzen Sie das Schaubild zur Funktionsweise von Impfungen.

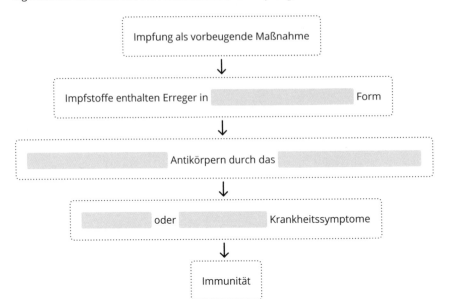

Impfung als vorbeugende Maßnahme

↓

Impfstoffe enthalten Erreger in ⬚ Form

↓

⬚ Antikörpern durch das ⬚

↓

⬚ oder ⬚ Krankheitssymptome

↓

Immunität

4   Welche Aussage ist richtig? Kreuzen Sie an.

	A	Die Pockenimpfung stellt einen Meilenstein in der Entwicklung der Impfstoffe dar.
1	**B**	Kuhpocken sind eine hoch ansteckende Infektionskrankheit.
	C	Die Pockenimpfung hatte eine hohe Sterblichkeitsrate.

	A	Menschen konnten sich nicht mit Kuhpocken infizieren.
2	**B**	Der Pockenimpfstoff basierte auf dem Erreger der Kuhpocken.
	C	1796 wurde eine Impfung gegen Kuhpocken entwickelt.

5   Ergänzen Sie die Lücken.

Erfolgreiche Impfstoffe wie die gegen Masern und Tetanus oder die _____ (1) gegen

Kinderlähmung führten zu einer _____ (2) bzw. zu einem _____ (3)

dieser zum Teil lebensbedrohlichen Krankheiten.

6   Richtig oder falsch? Kreuzen Sie an.

R	F	1	Nach der Entwicklung eines Impfstoffs dauert es viele Jahre, bis eine Krankheit verschwunden ist.
R	F	2	Seit 1972 hat es in Deutschland keine Pockenfälle mehr gegeben.
R	F	3	Die Grippeimpfung schützt vor sämtlichen Varianten des Grippevirus.
R	F	4	Das Immunsystem kann auf bestimmte Impfungen mit leichtem Fieber und Schmerzen reagieren.
R	F	5	Die Impfstoffe werden vor der Zulassung getestet, um schwere Nebenwirkungen zu vermeiden.

7   Welche Beispiele für Fortschritte in der Impfstoffforschung werden genannt?

   • _____

   • _____

8   In welchen Jahren traten die im Text genannten Epidemien und Pandemien auf?

   SARS: _____   Zika-Virus: **2015**   Covid-19: _____

3   GRAMMATIK-MIX

a)   Setzen Sie die Wörter in den Text ein. 5 Wörter passen nicht.

auf   aus   bei   dass   denn   man   obwohl   sind   sie   trotz   um   vor   wird   welche   zu   zum

Masern, Mumps, Röteln oder Diphtherie – _____ (1) all diesen Krankheiten kann der Mensch durch

Impfungen geschützt werden. Daher gehören sie in der Bundesrepublik _____ (2) Standardprogramm

_____ (3) der Impfung von Kindern. Und die meisten Eltern stimmen der Impfung ihrer Kinder bereit-

willig zu, _____ (4) die Impfung schützt nicht nur das geimpfte Kind selbst, sondern auch Menschen, die

_____ (5) unterschiedlichen Gründen nicht geimpft _____ (6). Säuglinge beispielsweise können

gegen verschiedene Erkrankungen noch nicht geimpft werden. _____ (7) des erwiesenen Nutzens von

Impfungen gibt es aber Eltern, _____ (8) die Impfung ihrer Kinder ablehnen. Die Gründe sind dabei vielfältig: Manche sind als Kind geimpft worden und hatten unter massiven Nebenwirkungen _____ (9) leiden. Ihre eigenen Kinder wollen _____ (10) diesen Nebenwirkungen nicht aussetzen. Die Impfsubstanzen heute weisen aber kaum noch Inhaltsstoffe _____ (11), welche die Gesundheit ernsthaft gefährden. Auch bei Impfstoffen hat es eine stetige Weiterentwicklung gegeben.

b) Setzen Sie die richtigen Endungen ein. Manche Lücken bleiben leer (/).

(1) Nicht wenige d____ Impfgegner argumentieren mit d____ natürlich____ Immunabwehr d____ Körper____. (2) D____ Immunsystem sei selbstständig____ in d____ Lage, Abwehrstoff____ gegen Viren und Bakterien zu entwickeln. (3) Ander____ äußern, d____ Körper müsse d____ Kinderkrankheit____ erleiden, um widerstandsfähig____ zu werden; ein____ Impfung schwäche dagegen d____ Immunsystem. (4) In zahlreich____ Studien konnte aber widerlegt werden, dass ein____ Erkrankung d____ Immunsystem stärke und andererseits eine Impfung d____ Immunsystem schwäche.

c) Setzen Sie die Verben in der richtigen Form ein (*zu* + Infinitiv = eine Lücke).

1   Unter den Impfskeptikern _____ es auch diejenigen, die der Pharmaindustrie negativ _____. (geben, gegenüberstehen)

2   Sie _____, Impfungen _____ einzig dazu, mit der Angst der Leute Geld _____. (glauben, dienen, verdienen)

3   Dazu _____ _____, dass die Pharmaindustrie tatsächlich für einige große Skandale in der Vergangenheit verantwortlich _____. (sagen müssen, sein)

4   Das negative Image _____ also in der Tat Gründe. (haben)

5   Im Bereich der angesprochenen Impfungen aber _____ ein solcher Verdacht unbegründet. (sein)

6   Und dass ein Pharmaunternehmen mit Impfstoffen Geld _____ _____, _____ als normal _____ _____. (verdienen wollen, ansehen können)

7   Denn die Entwicklung von Impfstoffen _____ oft viel Zeit und Geld. (kosten)

d) Formen Sie die Sätze mithilfe der unterstrichenen Satzteile so um, dass sich der Sinn nicht verändert. Achten Sie auf die Satzzeichen und ändern Sie diese nicht.

1   Die Skepsis gegenüber Impfungen <u>ist</u> jedoch nicht als rein deutsches Phänomen <u>zu betrachten</u>.

Die Skepsis gegenüber Impfungen _____ jedoch nicht als rein deutsches Phänomen betrachtet _____.

2   Weltweit <u>steigt</u> die Zahl an Impfskeptikern.

Weltweit gibt es eine _____ Zahl an Impfskeptikern.

3 Im Jahr 2019 vermeldeten Experten <u>eine weltweite Zunahme des</u> Anteils an Masernerkrankungen um 30 Prozent.

Im Jahr 2019 vermeldeten Experten, ⬚⬚⬚⬚⬚⬚⬚ Anteil an Masernerkrankungen

⬚⬚⬚⬚⬚⬚⬚ um 30 Prozent ⬚⬚⬚⬚⬚⬚⬚.

4 Einen erheblichen Anteil <u>am Anwachsen</u> der Zahl an Impfgegnern hat vermutlich das Internet.

Einen erheblichen Anteil ⬚⬚⬚⬚⬚⬚, ⬚⬚⬚⬚⬚⬚ die Zahl an Impfgegnern

⬚⬚⬚⬚⬚⬚, hat vermutlich das Internet.

5 Online-Kontaktnetzwerke tragen wohl <u>durch das Verbreiten</u> von Falschinformationen und <u>gefälschten</u> Studien zur Ablehnung von Impfungen bei.

Online-Kontaktnetzwerke tragen wohl ⬚⬚⬚⬚⬚⬚ zur Ablehnung von Impfungen bei,

⬚⬚⬚⬚⬚⬚ Falschinformationen und ⬚⬚⬚⬚⬚⬚ Studien ⬚⬚⬚⬚⬚⬚.

6 Es <u>ist</u> also <u>Aufklärung erforderlich</u>: zum Nutzen von Impfungen einerseits – und zur Medienkompetenz andererseits.

Es ⬚⬚⬚⬚⬚⬚ also ⬚⬚⬚⬚⬚⬚ werden: zum Nutzen von Impfungen einerseits – und

zur Medienkompetenz andererseits.

Cover: Collage © Daniela Vrbanovic, D.A.N.dock, Aachen; fließende Form © Shutterstock/ConnectVector; Füllung fließende Form © Shutterstock/bestber; Konturen Personen © Shutterstock/Billion Photos

Ganzes Buch: Tabletrahmen © fotolia/mpfphotography

S. 12: © Getty Images/E+/beresnev
S. 14: © Getty Images/iStock/kieferpix
S. 17: Text: Die Kraft kollektiver Emotionen © www.leadership-insiders.de; Foto © Getty Images/E+/Mikolette
S. 18: Text: Die Kraft kollektiver Emotionen © www.leadership-insiders.de
S. 20: 1 © Getty Images/E+/eli_asenova; 2 © Getty Images/E+/Milko; 3 © Getty Images/E+/mediaphotos; 4 © Getty Images/E+/monkeybusinessimages
S. 31: Icons Collage: © Getty Images/Digital Vision Vectors/mystockicons; © Getty Images/iStock/Pingebat; © Getty Images/iStock/vectorsmarket; © Getty Images/iStock/davidcreacion; © Getty Images/iStock/Turqay Melikli; © streptococcus – stock.adobe.com
S. 36: 1 © Getty Images/iStock/Rido; 2 © Getty Images/iStock/KerkezPhotography.com; 3 © kasto – stock.adobe.co; 4 © frag – stock.adobe.co; 5 © Getty Images/iStock/stefanamer; 6 © Getty Images/iStock/kieferpix
S. 38: A © Viktoriia – stock.adobe.com; B © Getty Images/iStock/MicrovOne
S. 39: C © Getty Images/iStock/elenabs; D © Getty Images/iStock/aelitta; E © Getty Images/iStock/filborg
S. 41: links © Getty Images/E+/Topp_Yimgrimm; rechts © Getty Images/E+/erhui1979
S. 43: © Getty Images/iStock/iLexx
S. 55: 1 © MEISTERFOTO – stock.adobe.com; 2 © Getty Images/iStock/Daniel Besic; 3 © Impact Photography – stock.adobe.com; 4 © Getty Images/iStock/Branimir Nedeljkovic; 5 © Getty Images/iStock/Motortion; 6 © Getty Images/iStock/Colleen Butler
S. 56: rechts © Getty Images/E+/recep-bg; links © Getty Images/E+/skynesher
S. 58: © Getty Images/DigitalVision Vectors/mustafahacalaki
S. 62: © Getty Images/iStock/photoguns
S. 69: © dpa Picture-Alliance/Fotoreport Ford
S. 71: © Getty Images/E+/SteveCollender
S. 72: Margarine © GettyImages/iStock/mipan; Butter © Getty Images/E+/Floortje; Reis © Getty Images/E+/Floortje; Nudeln © Getty Images/E+/Savany; künstlerischer Weihnachtsbaum © Getty Images/E+/loops7; echter Weihnachtsbaum © Getty Images/E+/by-studio; Wein © Getty Images/E+/EHStock; Bier © Getty Images/E+/filmfoto
S. 76: Münze © Getty Images/E+/oversnap; Metalmünzen © Getty Images/E+/berkay
S. 79: Gemüse © Getty Images/iStock/senata; Burger © Getty Images/iStock/DebbiSmirnoff
S. 81: Mülltüte © Getty Images/iStock/SaskiaAcht; Frau © Getty Images/iStock/monkeybusinessimages
S. 89: © Getty Images/E+/RapidEye
S. 92: © Getty Images/E+/RossHelen
S. 94: © Getty Images/E+/filo
S. 97: © Getty Images/E+/http://www.fotogestoeber.de
S. 100: Text: Job im Ausland © New Work SE; Foto © Getty Images/E+/Girish Chouhan
S. 106: Frau © Getty Images/E+/lionvision; 1 © Getty Images/E+/elenaleonova; 2 © Getty Images/E+/MKucova; 3 © Getty Images/E+/simpson33; 4 © Getty Images/E+/LightFieldStudios
S. 108: Bücherwurm123 © Getty Images/E+/Leonid Karchevsky; Lesemaus_123 © Getty Images/E+/Flore Sakowski; Schachmatt*99 © Getty Images/E+/Floortje
S. 109: © Getty Images/E+/oleksii arseniuk
S. 115: © Getty Images/E+/tttuna
S. 118: © Getty Images/E+/ferrantraite
S. 123: 1 © Getty Images/E+/RichLegg; 2 © Getty Images/E+/funky-data; 3 © Getty Images/E+/Joerg Reimann; 4 © Getty Images/E+/CreativeNature_nl
S. 124: A © Getty Images/E+/nensuria; B © Getty Images/E+/Thomas_EyeDesign; C © Getty Images/E+/FG Trade
S. 127: © Getty Images/E+/Tuned_In
S. 128: Kaffeeflecken © Getty Images/E+/coffeee-in
S. 130: © Getty Images/E+/antfoto
S. 132: Computer Code © Getty Images/E+/solarseven; Drohne © Getty Images/E+/Nerthuz
S. 137: © Getty Images/E+/Lalocracio
S. 139: Rotor © Getty Images/E+/Sakir Sevinc
S. 141: © Getty Images/E+/Onzeg
S. 145: © Getty Images/E+/JamesBrey
S. 152: © Getty Images/E+/Sophie Walster
S. 156: © Getty Images/E+/ZU_09
S. 158: © Getty Images/E+/zorazhuang
S. 161: Elektroauto © Getty Images/E+/Ziga Plahutar; Benzinauto © Getty Images/E+/Natnan Srisuwan
S. 162: Kind © Getty Images/E+/vgajic; Spritze © Getty Images/E+/peterschreiber.media

Zeichnungen: Michael Stetter, Aachen; Joleen Boemer, Aachen

Alle weiteren Fotos und Illustrationen: Sprachenakademie Aachen
Bildredaktion: Nina Metzger, Hueber Verlag, München